郭文斌精选集

还 乡

郭文斌 著

山东教育出版社

·济南·

图书在版编目（CIP）数据

还乡 / 郭文斌著 . – 济南：山东教育出版社，2021.10
（郭文斌精选集）
ISBN 978-7-5701-1758-1

Ⅰ.①还… Ⅱ.①郭… Ⅲ.①短篇小说－小说集－中
国－当代 Ⅳ.① I247.7

中国版本图书馆 CIP 数据核字 (2021) 第 127096 号

还　　乡　郭文斌 著
HUANXIANG

策　　　划：张　虎
责任编辑：张　芮　王亚楠
责任校对：任军芳
美术编辑：徐国栋
装帧设计：王承利　王耕雨

主管单位：山东出版传媒股份有限公司
出 版 人：刘东杰
出版发行：山东教育出版社
地　　址：济南市市中区二环南路 2066 号 4 区 1 号
邮　　编：250003
电　　话：(0531)82092660
网　　址：www.sjs.com.cn
印　　刷：山东临沂新华印刷物流集团有限责任公司
开　　本：880 mm × 1240 mm　1/32
印　　张：11.125
字　　数：202 千
版　　次：2021 年 10 月第 1 版
印　　次：2021 年 10 月第 1 次印刷
印　　数：1-2000
定　　价：99.00 元

（如印装质量有问题，请与印刷厂联系调换，电话：0539-2925659）

郭文斌

著有畅销书《寻找安详》《农历》等十余部，有精装七卷本《郭文斌精选集》行世。长篇小说《农历》获第八届"茅盾文学奖"提名，在最后一轮投票中名列第七。短篇小说《吉祥如意》先后获"人民文学奖""小说选刊奖""鲁迅文学奖"。作品签约二十多个国家。

央视540集纪录片《记住乡愁》文字统筹、撰稿、策划，观众达170亿人次，被中宣部领导誉为弘扬社会主义核心价值观最接地气的精品力作；由海口电视台录制的52集人文节目《郭文斌解读〈弟子规〉》被中国教育电视台等多家媒体播出，被"学习强国"学习平台推送。提出安详生活观、安全阅读观、底线出版观、祝福性文学观；受邀到北京师范大学、北京大学、清华大学、复旦大学等高校及多省市演讲，受到欢迎。

十多年来，奔走于全国各地，推动中华优秀传统文化的创造性转化和创新性发展，同步捐赠逾三百万码洋图书。

现任宁夏作家协会主席、中国作家协会全委会委员；全国宣传文化系统"四个一批"人才，享受国务院政府特殊津贴；被宁夏回族自治区党委、政府授予"塞上英才"称号，被评为"60年感动宁夏人物"。

代 序

面向价值的写作

也许，对郭文斌的创作可以作阶段性的总结评价了，但怎样的定性式的概括才准确呢？我想起前不久的一次文学研讨会上，一位青年学者说她推崇"建构性"的写作，并且认为中国当代文学中真正的建构性的作家并不多。由于当时论题的限制，她没有就建构性写作作具体的阐述，我想所谓建构性的写作的内涵是非常丰富的，它包含了个性、创新、思想、风格，包含了作家自己文学理想的提出和对这一理想的有效的实践，而且能开一代文风。我特别地认为建构性的写作是一种"正面"的，面对价值的写作。如果我的理解大致不差的话，那么，郭文斌的写作应该是建构性的，因为，他是少有的坚持并且以自己的文学宣示着鲜明的价值立场的作家。

1

价值是客体与主体需要之间的一种关系，它关系到主客体方方面面的许多要素。因为社会在变，人在变，人们的实践活动也在变，所以价值也在变。特别是社会发展迅速的时期，价值的变化也更为剧烈。说到价值的变化与人们价值观的变化，大概没有哪个时代比得上中国这几十年了。价值有许多种：自然价值，经济价值，知识价值，审美价值，道德价值，等等。这几十年，中国创造了多少价值，又激发了多少需求，相对这些需求，又需要创造更多的价值。过去，人们对价值认识很单纯，不管是物质与精神都是如此。思想解放与改革开放将人放到了主体的位置，人的需要与发展被认为是天经地义的，个人的需求也被赋予了从未有过的合法性。在八十年代，人的价值，包括个人价值的实现几乎成为流行的口号。不能不承认它们对社会发展的巨大推动，因为人的价值虽然说与人享用的价值有关，但决定性的意义在于他所创造的价值，尊重人的价值，实际上就是尊重创造价值的自由。所以，为什么说这几十年是中国生产力的大解放，就是这个道理。但是，对这几十年的历史从价值哲学的角度进行反思也不是没有问题，因为不管是从社会还是从个体来说，物质价值的创造与拥有，在相当大的程度上压倒了精神价值的创造与实现。这将导致价值与价值观的混乱，一些社会与个体发展的根本性价值被悬置了，碎片化了，空心化了。

　　如此的价值失衡，特别是负面价值与伪价值的生成，已经近乎成为一场人文灾难。大概在 20 世纪 80 年代中期，它开始引起人们的警觉，并且成为许多人文工作者的逻辑起点。这样的工作有两个向度：一是对现实的否定与批判，一是从历史、现实与理想中寻找与构建正面的价值观念。其实，这两个向度是一枚硬币的两面，并不可以分开，但是对于个体来说，却由于环境、心性、认知等方面的原因而有所侧重与选择。在我看来，郭文斌选择的是第二个向度。

我不知道郭文斌这种面向价值写作的自觉意识起于何时，从他的早期作品来说，虽然题材广泛，视野遍及城乡，但他的触须似乎都伸向生活中那些向善的人与事。像《玉米》《剪刀》《水随天去》（见短篇小说集《瑜伽》，上海文艺出版社 2012 年 11 版）等，在郭文斌的作品中已经算是有些寒冷的作品了。《玉米》中红红的不幸，《剪刀》里无名夫妻生活的艰难，《水随天去》中父亲对平庸和世俗名利生活的厌倦，都从不同的角度写出了生活中的杂色，写出了人们物质与精神两方面的困境。但就是这样的作品，郭文斌也是有所保留，有所控制的，并没有写成不幸的控诉，仇恨的集聚，他寻找的是人们对这些不尽如意的生活的态度，他在探讨我们还有没有力量去应对，特别是我们的内心，是不是已经丧失了应对苦难的能力，宽容、善良、忍耐、牺牲等等还在不在。所以，《剪刀》中的女人决绝地以自己的结束为家庭和亲人获得新的开始，而《水随天去》不但用童年的视角化解了形而上的沉重，

3

而且将生活方式的冲突作了诗意的浪漫化的处理。系列短篇小说《小城故事》（见短篇小说集《大年》，宁夏人民出版社 2005 年 5 月版）也是类似的作品，只不过更轻松，甚至有些喜剧的味道。这些作品体现了郭文斌对社会风潮起于青萍之末的敏感。小城虽小，但是同样被社会的变革所冲击，人们的生活方式与精神状态同样在发生变化，许多社会病也同样侵蚀着人们。不过，这只是郭文斌叙述的起点、背景和故事的表层，作者的目的并不止于此，他在寻找，通过一个个小故事寻找人们内心的底色，而正是这些底色，人的基本道德、良心与人伦使得许多人物与故事得以曲中奏雅，竟然能够让郭文斌的叙述也变得轻灵甚至欢快。

这样简单的回顾已经显示，虽然郭文斌与我们面对着同样的社会状况与精神生态，但是他作了不同的选择。这些作品的主题还不统一，作者对正面力量的寻找方向也是犹疑的，不一致的，而且，郭文斌还没有完全调整好自己的写作目标，但是有一点是明确的，郭文斌显然认为隳败与沉沦不是我们生活的全部，批判、怨怼与绝望也不是我们全部的态度。我们还应该有更为积极的方式，那就是探讨或肯定理想与价值。在我的理解中，郭文斌的写作伦理显然基于这样的思考和判断，人与社会都是自觉的生活主体，他们按照自己设定的目标来设计和规约自己的生活，并且认为只有这样的生活才是有意义和有价值的。所以，人们对生活的权衡，也必定从这意义和价值出发。正因如此，我们当下生活所出现的问题并不在现象与问题本身，而在于意义与价值出现了偏差，比如什么是幸福，什么是成功等等。当人与社会在意义与价值这些根本性的基准出现偏差以后，个体的生活方式，人与人的关系，人与自然的关系，社会的结构与动作模式，一直到人与社会形而下的技术层面都随之发生变化。所以，郭文斌的写作方式完全可以转换成社会建设的一个思路，那就是寻找或建设社会的意义与价值。

郭文斌对这个问题的思考和回答经过了一个相当长的时期，从上面提到的早期作品来看，郭文斌的想法还比较宽泛，但是到后来，他就越来越集中，目光也越来越坚定了。他做的是减法，他主张回到历史、回到经典、回到传统、回到生命的原点，用郭文斌的话说就是："寻找我们本有的。"在他看来，传统就是"本有的光明"，是能够"让每个人点亮那盏永远不灭的，能够照亮他一生的心灯的方法"。所以，在这个问题上，郭文斌后来做减法，价值不是少了，而是多了，人们并不是创造不出价值，而是在无数的"价值"中迷失了。因此应该删繁就简，回到起点，回到那不变的上面去。有时，回撤可能是一种进步，因为存在这样一种可能性："传统恰恰是最时尚的。当所有人都在兜圈子的时候，你站在原地不动，也许是最好的抵达方式，因为当人们兜了一圈回来，发现你已经早在目的地了。你原地不动，但你却成了最先到达的。……

这就是先锋。"只不过人们回不去了，成了"一群试图还乡者，却总是找不到回家的路"。于是，重新言说和阐释传统价值就有了路标式的意义。这样的想法不是突然的，在他的早期作品中也有，比如《大生产》《开花的牙》（见短篇小说集《郭文斌小说精选》，宁夏人民出版社 2008 年 12 月版）等等，但是《大年》显然是一个标志，而长篇小说《农历》（上海文艺出版社 2010 年 10 月版）则是一个总结或集大成。

因为回到传统，在中国，就是回到古典，回到乡村。在郭文斌的价值谱系里，中国的农业文明和乡土文化依然是重中之重。乡村作为一种社会形态，它的延续或成长的因素是复杂的，有横向的水平影响，更有垂直的线性伸展。因此，对乡村的传统价值观，郭文斌并不是静态的展示，而是动态地揭示其功能。书写传统与乡村，节令与风俗自然地成为郭文斌作品的叙述内容和叙事线索。汪曾祺说："风俗，不论是自然形成的，还是包含一定的人为成分（如自上而下的推行）的，都反映了一个民族对生活的挚爱，对'活着'所感到的欢悦。他们把生活中的诗情用一定的外部形式固定下来，并且相互交流，融为一体。……风俗中保留了一个民族的常绿的童心，并对这种童心加以圣化。风俗更使一个民族永不衰老。"风俗的这些内涵与功能在郭文斌小说中都得到了体现，由于风俗是建立在自然、生活、劳动与血缘基础上的，在规范与调节人与自然、人与人的关系上具有坚实而隐秘的作用，是道德、生活习惯等等的集中体现，它实际上以生活的具体方式参与了乡村价值体系和观念形态的培育、塑造、修复甚至重建。这是乡村地域文化中蕴藏着的教育资源和生活规范。所以，我们不难发现，郭文斌的这些作品都有一个父母与孩子对话或教诲的结构，都有一个感悟的语义模式。孩子从中汲取着乡村社会世代相传的生活方式、禁忌与文化理念。从本质上说，风俗就是一种仪式，是一种文化记忆，是我们集体记忆的重要途径之一，相对于其他形式，仪式的记忆更加经典化。郭文斌笔下的这些日常生活中的仪规、礼俗与程序，实际上都是一些特殊的文化文本，积淀了深厚的文化内涵，有着丰富的象征意义，虽然"五里不同语，十里不同风"，但在一定区域与社群范围内，通行的礼俗作为一种特殊的行为通过外在的符号、工具、程序以及组织者的权威而具有强制性，会营造出特殊的氛围，而使参与者在哀伤、敬畏、狂欢与审美的不同情境中获得行为规范、道德训诫与心灵净化，从而上升为价值哲学。

毫无疑问，长篇小说《农历》在这方面更集中，也更全面。作品中的人物用一年的时间为我们演示了中国农村原汁原味的日常生活，给现代化社会中的人们讲述他们生命的节奏，生活的原则，感情的寄托，他们的价值和他们的根。

这部长篇小说从元宵开篇，到上九结煞，刚好一个轮回。中间既有我们非常熟悉的大年、中秋，也有我们非常陌生的龙节、中元，有的是农历的节气，有的是农历的节日。农历是中国古人发明的，它是根据太阳和月亮运行的规律推衍总结出来的，因为太阳的运行产生了季节的变化，农事的安排必须适应这种变化，古人据此设置二十四节气以指导农业生产。农历文化实际上是一个非常丰富的话语系统，它不仅仅是一个时间表，而且包含着天文、地理、宗教、习俗、生产、生活等许多方面。在古代，二十四节气对农业生产具有重要性指导意义，而每一次生产行为都包含祭祀、禁忌、庆祝、劝勉以及实际生产行为等许多程序和仪式，每一道程序又都包含着它的起源、沿革、传统等文化增值。对中国人来说，这是一笔丰厚而宝贵的文化遗产。郭文斌说得很明白，"十五个传统节日，就是十五个不同的意象。它事实上是传统留给后人的十五种精神营养。"

如果郭文斌关于价值的寻找或重建的书写只到这里，那还是传统的狭义文学层面，但是，他的脚步并没有停下来，这就有了文化随笔集《寻找安详》（中华书局 2010 年 1 月版，2012 年 6 月修订）《〈弟子规〉到底说什么》（中华书局 2011 年 7 月版）和散文集《守岁》（浙江文艺出版社 2012 年 6 月版，2012 年 12 月修订）。这时，郭文斌的价值观已经很明确了，就是"农历精神"和"安详"。这两者其实在内涵上是统一的，农历精神就是传统的文化，而传统文化按郭文斌的说法就是安详的宝藏。"安详是一种不需要什么条件作保障的快乐，这个条件，也包括时间。这种快乐是以一种绵延不绝的整体性为源泉的。因此，安详提供给人们的是一种根本快乐，它区别于那种由对象物带来的短暂快乐。具体来讲，它是一种稳定的现场感，正是这种现场感，让我们不念以往，不思将来，只是安处于当下。"郭文斌虽然将价值的源头认定在传统，实际上他对中外生活、道德、伦理与审美等价值还是作了比较和研究的，上述对安详的描写既有中国传统哲学，也有古希腊的生活哲学和现代简朴主义与生态思想。当然，我看重的并不是郭文斌关于安详的倡导有多切实多重要，在这个问题上，我以为文学与社会的管理与建设是有区别的，与人文工作者的研究也是有区别的。文学可能免不了书生气的坐而论道，但它可以理想，可以唯美，可以超越，甚至可以幻想、天真和不切实际，它的以虚务实，恰恰可以打开思路，提供愿景，营造氛围。因此，我觉得有意义的是郭文斌对自身文学的超越，一种将自己和自己的工作介入当下的强烈意识。这是文学中难能可贵的需要复兴的人文主义传统。而郭文斌对价值的宣示，特别是近期对安详的书写，尤其是通过对《弟子规》等传统经典作品的解读和倡导，极富个性地凸显了一个作家的现实情怀，这是不是文学和作家在现实逼迫下的新的转型？

郭文斌的探索还没有停止，他对现实的解剖越来越深，问题意识也越来越自觉，对价值的理解也越来越明晰和具体。

不过，这个领域显然是没有止境的，也不可能是封闭的，真的希望更多的作家进行这样的探索，来寻找和传播价值，这是文学面对人的困境时应有的担当。

目　录

2

点灯时分

　　总觉得城里的元宵夜有点过于热闹，热闹得让人几生迷失之感。在街上转了一会儿，就急切地往回赶。可是热闹是躲不脱的。紧紧地关了门窗，热闹还是不可阻挡地挤进来，让人无可奈何。就索性站在阳台上，面向老家出神。

　　岂料身心就一下子踏实下来。

　　那是因为有一片火苗在心里展开。

　　老家的元宵夜没有汤圆，也没有眼下这绚丽多彩的华灯和开在天空的一树树银花，更没有震耳欲聋的炮声和比肩接踵的人流，而是一片夺人的宁静。

　　那宁静，是被娘的荞面灯盏烘托出来的。

　　灯盏拳头一般大，上面有一盏芯，可盛得一勺清油，捻子是半截麦秆上缠了棉花。夜幕降临时分，几十个灯盏便被点燃，端到当院的月光中，先让月神品赏。如果没有风，几十尾灯焰静静地在乳样的月光中泊着，那种绝尘之境，真是用文字难以传达的。

　　赏完月，灯盏便被分别端到各个屋里。每人每屋每物，都要有的，包括牛羊鸡狗、石磨、水井、耕犁等。让人觉得天地间的所有物什连同呼出的气都带有一种灵性，似乎耕犁磨盘也会不时扯着你的手跟你攀谈几句。那时，谁也没有问为什么要给这些没有"生命"的东西点灯，只觉得这是再自然不过的事情，如果不这样做就是不应该了，而生命不正是一种"应该"吗？现在想来，这其中包含着多么朴素多么深厚的善和美，连同真啊。

在给养了多年的老黄牛的槽上放灯盏时，老黄牛竟用微笑向我表示了它的心情，而那只小黑狗简直是欢欣鼓舞了。我一直奇怪，面做的灯盏放在平时从我们手里叼饼子吃的鸡狗面前，它们竟一派君子风度，而牛羊就更不必说了。

用老人们的说法，这正月十五的灯盏，很有一点神的味道。一旦点燃，则需真心守护，不得轻慢。就默默地守着，看一盏灯苗在静静地赶它的路，看一星灯花渐渐地结在灯捻上，面如平湖，心如止水，整个生命沉浸在一种无言的幸福中、喜悦中、感动中。渐渐地，觉得自己像一朵花一样轻轻地轻轻地绽开。我想，佛家所说的定境中的喜悦也不过如此吧。现在想来，当时守着的其实就是自己，就是自己生命的最深处。那种铺天盖地的喜悦正是因为离自己最近的缘故，那种纯粹的爱正是因为看到了那个本来。

默默地注视着灯盏，我问父亲，到底是油在着呢，还是棉花在着呢？父亲示意我不要说话。现在想来，父亲是正确的，这样一个重大的话题，我等岂敢又岂能说得。我不知道正月十五为什么要点灯盏，但有一点是肯定的，那就是留下这个风俗的人一定是深深懂得生命的。他用一个最具活性的东西，在春天到来的时候，向人们表明了生的意义和状态，也说明了生命在怎样地行进和更替。后来看了一些资料，知道既甘又苦且柔且韧的荞面具有别的食品不能代替的活血降火功用，就更为祖先用荞面做灯盏叫绝。它，不正是对被人们炒得过热的生命的一种清凉的制衡吗？

天下没有不灭的灯。大人们用灯捻上留下的灯花来安慰灯的熄灭给儿女们的打击，说，那灯花将预示着来年的收获和前途，又将我们的心思转移到期冀当中。

但是灯的熄灭毕竟给了我们不小的打击。当时又没有足够的清油供我们将灯多点一会儿。事实上点灯成了一种名副其实的短暂仪式。可是那时的我们不可能想那么多，我们只将它看作一种无比美好的过程，因而，在那灯焰一闪一闪就要熄灭的时候，心里还是一阵阵生疼。

亮着，是多么好啊。

然而，那最后一闪终于到来。

整个屋子一下子像失了魂似的空落。

这时，母亲就要说，尝尝娘做的灯盏是什么味道。

我不知母亲是不是存心转移我们的心思，但有一点是肯定的，那就是这种空落真的被产生于舌头上的实在的喜悦安抚了。一种大美在双齿合上的同时变为一种实在的满足。

现在想来，人又何尝不是如此。

有一个巧合。

在我们弟兄中，最是弟弟生得可爱，真是人见人爱，差不多村里所有人几天不见他就说想得不行。可是有一年元宵夜，一股风突然将弟弟的灯吹灭了，一家人一下子脸上都挂了霜。

弟弟用火柴再次将灯点着。风又将它吹灭。弟弟就再点。

可是弟弟手中的火柴最终没有抗拒过风，七个月后，可怜的弟弟死于痢疾。

十几年过去了，死别的悲痛渐淡，生命的感伤更浓。我不止一次地想，如果弟弟还活着，他该走过怎样的一条人生之路。我甚至想，是聪明的弟弟耍了一个花招，将生命中的许多艰辛一下子甩开了。

活着，到底有什么意义呢？

再后来，我想，弟弟正是用他的"去"，保全了他的宁静。

而我们就不能披拨红尘，于纷繁中守持那个宁静吗？倘若能够，那不更为上乘之功？可是，为什么我们就往往迷失了呢？

现在，我站在这个城市的阳台上，穿过喧哗和骚动，面对老家，面对老家的清油灯，终于明白，我们的失守，正是因为将自己交给了自我的风，正是因为离开生命的朴真太远了，离开那盏泊在宁静中的大善大美的生命之灯太远了，离开那个最真实的"在"太远了。

灯，又何尝是风能吹得灭的。

清明不是节日

春分过后是清明，这是小时候从父亲口中听到的一句话。现在想来，它既是一句话，又是一个哲理。

创设了清明这个节日的人，无疑是一个大智者。

"山""水"同在为"清"，"日""月"同在为"明"，一个"同"字，道尽了天地秘密，也道尽了中国文化的秘密。无水之山少了情韵，无山之水少了风骨；无日之月少了热烈，无月之日少了温柔；水因山不浊，山因水不枯；日因月不烈，月因日不晦。这一切，都在一种"大同"中实现了。

这便是"清明"。

清明看上去是季节，其实是人格。没有山水精神的人格是残缺的人格，没有日月精神的人格同样是残缺的人格。而山水日月精神，说到底则是天地精神。

天同覆，地同载。

齐生死，便是由此而来。

对于中国人来说，从来就没有生，也从来没有死，因为中国人有怀念，真诚又深沉的怀念。

怀念来自人格，人格来自奉献，奉献来自觉悟，觉悟来自天地精神，来自"清明"。

清明处心积虑，让我们看破，死是一个假象。就像春分过后，杨柳依然，所谓"春来草自青"。或者说，只要我们在"清明"之中，"死"就会成为杨柳，就会成为春色，就会成为秋千，就会成为风筝，就会成为踏青途中的欢声笑语。

为此，清明前后，栽瓜点豆。这时候的瓜和豆睡醒了，开始了它们新一轮的生命旅程，带着山水之清气和潮湿，带着日月之光辉和温暖，带着主人之期待和叮嘱，开始它们的旅行，走进农历，走进它们的缘分，走进它们的因果。

而充盈在天地间的灵魂又何尝不是如此。

大家把郊游看作是在扫墓之后乘机呼吸新鲜空气，锻炼身体，显然表面化了。庄子认为，人不必执著于生，因为生若是一次远游，那么死就等同于归。

出游是惬意的，惬意可能让人流连忘返，但天黑下来了，所有的惬意都成了归意。"路上行人欲断魂"，正是因为我们在路上。

出游的目的是让你体会那个"归"。

庄子说得好啊，天地赋予形体让我承受，赋予生命让我劳累，赋予衰老让我安逸，赋予死亡让我安息。所以，把活着看作是乐事，也就是把死去看作是乐事了。

这是一种"归"。

庄子又说：丽姬是艾的女儿，许配给晋王时，哭得死去活来，对未来的陌生环境充满着不安全感。她嫁过去住进王宫，每晚与晋王缠绵床笫，享受美食，就对自己在家中哭泣感到好笑，早知道宫中如此舒服，还哭个什么劲呢？同样的道理，我们现在对死亡恐惧不安，是否到头来也会笑自己对世界的依恋不舍很幼稚呢？

视生若死，视死如生，这是庄子的安详和智慧。

孔子说得更彻底："朝闻道，夕死可矣。"在我看来，清明讲的就是这个"道"。在杨柳依依中，在草色青青中，在旧墓，在新坟，在山麓，在河滨，如果我们没有看到这个"道"，就已经和"清明"擦肩而过了。

中国的节日，大凡都是诱发你对"道"的感悟，对山水精神的感悟，对天地精神的感悟。依山悟崇高，傍水悟清廉；以日月悟光明，由天地悟正大；假生之乐悟慈，借死之苦悟悲；从而珍惜青春，珍惜年华，珍惜生命，珍惜因缘，感念造化宏德，善待自然有情，鞠躬尽瘁，死而后已。

中国的节日，大多和祭有关。以祭悟道，这是中国人的智慧。在我理解，清明是春祭，中元是夏祭，寒衣是秋祭，大年是冬祭。而一切祭的背后却是暗藏的狂欢。哀以乐感，乐以哀感，一体两面，这便是中国人的大幽默、大安详。

如果说上巳节是中国的情人节，那么清明节无疑是中国的感恩节。有意思的是，它俩居然比肩接踵，让人不由赞叹中国人的智慧：昨天上巳，今天清明，如同前院和后院。前院求生，后院念死；环绕着前院后院的，是青青杨柳和无尽春色。上巳节的主旨是幽会求子，清明节的主旨是鉴死知生。这两个节日的奇妙联袂，真是让人叫绝。幽会之后是求子，求子之后是祭祖，生死相续，以生观死，以死鉴生，一个中国人特有的生命链就这样形成了。

清明不是节日，清明其实是人格，中华儿女的人格。

红色中秋

当城里大大小小的店铺争相打出月饼广告时，我就闻见了中秋的味道，一种在月饼之外的中秋味道。

一挂车就往记忆深处开去。开向故乡，开向童年，开向一种冰凉而又温热的意境。

关于月饼，准确些说，在我成为城里人之前，只在词典里想象过，品味过。我对中秋的所有记忆，月饼始终只是一个提示。

有一两个西瓜和数十只梨什么的，我已经觉得相当地阔绰了。以至我至今仍将中秋和一个西瓜画等号，和一种冰凉画等号。

无法叙述当时是怎样战胜，让人不由得打一个个激灵的，一刀将西瓜切开的那种冲动的。

那一天比涎水还漫长，太阳简直就像在原地踏步。我能闻见我身体里焦急的味道。我将切瓜的刀擦了又擦，将盛瓜的盘子抹了又抹。用量角器将西瓜按人数分成等份，准确到毫米。然后一遍又一遍地想象着刀切进西瓜时的情景。

先要献月亮。

爹说这是他小时候就有的风俗。我至今仍不明白为什么农村所有的好吃喝都要在月亮"品尝"之后人们才能动口，总觉得这是一种寄托，一种希望，一种勉强的酬谢，但又不能具体。因为月亮本身是清晰又模糊的，切近又遥远的。

月亮总算露了半个脸儿，哥就迫不及待地将刀切入西瓜，西瓜就如莲花盛开在盘子里。哥让我先往当院放炕桌，我没有落实，我实在没有力量动员自己离开"莲花"在哥手里盛开的动人情景，直到哥放下刀时，我才将炕桌放到当院。老实说，我是作了弊的，我将炕桌放得尽可能靠近月光，事实上已越过当院了。

哥将"莲花"端出来，放在炕桌上。我们就静静地等待着月光一线一线往炕桌这边移。这时，我发现鲜艳的西瓜水在悄悄地往盘里淌，我有点忍不住了。然而神秘的东西实在太强大了，在月亮玉口未开之前，我的心里没有丝毫邪念，我敢发誓我的心里一片忠贞一片美丽。我们静静地看着月亮沿着炕桌腿不紧不慢地接近西瓜，心里有种无比宁静的激情在奔涌。

我想哥也同样，我看了哥一眼，哥一脸的肃穆。

我们都被一种仪式感动着。

月啊，月。

大概在月亮抹嘴唇的时候，我们小跑着将盘子端进上房。

11

哥以长者的风度分着西瓜。

等哥给家里人全部分到时，实在不好意思，我的第一牙西瓜已经暖着肚皮了。

就这样，我尝到了实实在在的中秋的味道。

因月光而朦胧，因西瓜而实际的中秋节，就在我恋恋不舍地放下最后一片西瓜皮时落幕了。我有点后悔自己吃得太快了。

倒西瓜皮时，我猛然发现，中秋的月亮原来就是一半拦腰切开的西瓜，那么红那么红，那么冰凉那么冰凉。

腊月，怀念一种花

腊月，在故乡，曾经是一种花盛开的季节。

多年来我一直回味着那个大年三十晚上的情景，当我们父子第一次将一种幽闭多年的鲜花复活于窗格子里时，院子里一下子拥满了人，至今我仍难以描绘人们被一种美惊到的样子。

后来才知道，自家的窗花是很有些名气的，甚至陇上人都来我家"请"花样。

一个"请"字包含着多少意味。

这些花样都是父亲凭记忆恢复出来的。

这一年之前，我的头脑中似乎没有"窗花"这个概念。那个晚上，当父亲将几色纸认真地叠成方格，戴上老花镜，将剪刀插进纸里的时候，我还不知他要做什么。只记得当一幅传神的"喜鹊啄梅"在父亲手中脱胎时，父亲眼里含着泪花。父亲将喜鹊在窗格子里比画了一下，我的小小的心里就咯吧响了一声，我被一种搭配震惊了。

后来看油画展览，眼见那些笨拙的框子将一幅幅莫名其妙的意象框死，总觉得不如窗花贴在窗格子里那么自然，那么美。农村的窗格子如同现在的格子田，老百姓通过它看山看水看风看雨，窗花贴上的时候，山也好水也好风也好雨也好，都是花。

父亲剪着剪着，剪刀不由得停下来，好像一个迷路的孩子，无比地茫然，往往需要抽上几锅烟才能回忆起下一步。就这样父亲花了好长时间才完成，但是有几幅他最终没有记起来，神情中有一种认真的负债感。我说，你为啥当时不偷偷藏下花样呢？父亲笑了笑，如同窗外的风。

现在想来，父亲能做到这一步已是非凡，几十年的寒风苦雨，居然没有将这些美的形式彻底从他的生命中清除出去。

因此，那个大年三十晚上出现的场景就不难理解了。记得那晚我们常常将窗花贴反。父亲说，不要紧，贴反再倒过来。父亲极耐心地教我们如何小心地抹糨糊，如何搭配色彩，如何组织图案和意境。心中暗暗惊叹着美的生产过程竟是如此地富有学问富有秩序。贴完最后一格窗花，父亲将油灯挪到窗台说，你们出去看看。后来上美学课时，老师讲过一个"审美紧张"的词，用在这儿真是再合适不过了，我们兄弟姊妹都被一种意外的梦里天国似的意境给镇住了，以至忘记了天上纷纷扬扬落下的大雪，直到那个串门的表哥"啊"地叫了一声，才回过神来。

不一会儿，院里就拥满了人。我的心灵经受着一种难言的情绪的袭击，我想仅仅用激动和感动是无法概括的。

现在想来，父亲不单单是挽救了一种美。

但是，这种被父亲竭力挽救下来的美，在眼下的老家已经只有靠记忆来回味了。

小花格窗换成了大方框窗，白纸换成了玻璃，不知是人们没有时间剪窗花，还是怕糨糊弄脏了玻璃，反正，我是好些年没有看见窗花了。然而，父亲似乎并没有多少惋惜，只是在他的抽屉里锁着些花样，常常临到腊月翻出来给孙子说，知道吗，这就是窗花。

守 岁

    一夜连双岁，五更分二年，这个"夜"，中国人把它叫除夕。"除"者，台阶也，像台阶一样的晚上，就是除夕。通过这个台阶，过去的一年成为年轮，被时光之主回收，新的年轮向我们展开。逝去的变成忧伤，即将到来的成为期待。忧伤和期待的交接，在我看来，就是祝福，就是"年"了。

    让我百思不得其解的是，散居在中华大地的华夏儿女们为何不约而同地选择这一夜举行如此盛大的交接大典？这种让人震撼的"约定"是如何完成的？又为何千百年来会被如此彻底、如此坚贞、如此心甘情愿地遵守？

    蓦然回首，发现答案就在古词"守岁"里。

    而要搞懂"守岁"，先得推倒一个传说：

    相传远古有一种凶恶的怪兽，人们叫它"年"，每到腊月三十晚上，就要从海里爬出来攻击辛苦了一年的人们。为了躲避年兽，人们天不黑就早早关紧大门，但是不敢睡觉，坐等天亮。大年初一，人们一见面就互相拱手作揖，互祝没被年兽吃掉。有一年除夕，年兽突然窜到一个村子里，差不多把一村人吃光了，只有一对挂红布帘、穿红衣服的新郎新娘平安无事。还有几个童稚在院里点了一堆竹子玩耍，火光通红，爆竹声声，年兽没敢光顾。此后，人们知道了年兽怕红、怕光、怕响，每至年末岁首，家家户户就争相贴红纸，穿红袍，挂红灯，敲锣打鼓，燃放爆竹。可是有的地方老百姓不知道这些办法，常常被年兽吃掉。后来有一个聪明人燃香向天官求救，年兽才被彻底降服。从此，每到过年，人们总要以燃香为暗号，请天官赐福。

突然发现，这个"年"，说的就是时间。想想看，在时间面前，无论是飞禽走兽，还是鳞介虫豸，包括作为万物灵长的人，都未能幸免。

而要逃脱时间之"年"的攻击，唯有进入时间。而回到当下、回到现场又是进入时间的唯一方式。过去心不可得，未来心不可得，我们唯一能够得到的，就是当下。

于是便有了"守岁"。

"守岁"是中国人度过除夕的专用词。我越来越觉得这个词妙不可言。岁者，光阴也。为什么要守岁，因为它的特别。

守岁显然是一个象征。古人特意拿出这个带有交接意味、神圣意味甚至基因意味的夜晚，让我们打量平时被忽略了的时间。

换句话说，守岁，就是让我们进入时间，因为我们只有进入时间才能真正进入幸福，或者说进入真正的幸福。

而要进入时间，需要给灵魂松绑。而要给灵魂松绑，就要人们从物质中跳出来。而对物质的依附是人的常态。事实上"跳"是不可能的，灵魂被缚日久，只有"解"才能"脱"。

回到当下，无疑是给灵魂松绑的最好方式。

香烛爆竹也好，社火大戏也好，都是对时间的提醒，人们在爆竹声中是在当下，人们在傩意识中也是在当下。

如果我们体会过真正的守岁，就会发现，"当下"是快乐的代名词，全然的当下就是全然的快乐，只有快乐，没有别的。

如果我们能够回到当下，那么时时刻刻都是守岁。

先人通过这种方式，让后生们学习品尝时间，品尝生命，学习和灵魂促膝对烛。

当祭桌上的那一缕香烟袅袅升起，我们仿佛能够看到，祖先向我们走来。那个平时给父母遮风挡雨的屋子里，此刻，除了父母和他们的儿孙，还有爷爷奶奶、太爷太奶，等等。他们在屋子的任何一方打量着你，目光亲切、温暖、绵长。这时的屋子是一个空间，又不仅仅是一个空间。它在时间之河上漂移，又让时间之河凝固。

恍惚间，它让你觉得有无数同样的屋子交织在一起，让你觉得这时的空间不单是空间，还是时间，还是"岁"，被一家人守着的"岁"。

爹和娘在炕上拥被而坐，兄和嫂在炕头围炉而坐，小子们环绕在周围，静听年的脚步响过除夕，天伦之乐如水弥漫，直到"坐久灯烬落，起看北斗斜"。这是乡土中国经典的守岁样式。那也许就是幸福最原始的状态了，就是亲情最原始的状态了。时间变得可看、可听、可嗅、可触。

桌上的烛光让我们看到被我们守着的"岁"是一种如何摇曳的状态，院子里贴花的灯笼把我们守着的"岁"映的温暖，墙里墙外的爆竹声把我们守着的微醺薄醉的"岁"一次次惊醒。

守，首先是守着一份怀念，对恩情的怀念；守，同时还是守着一份敬畏，对时间的敬畏；守，当然还是守着一份感恩，对造化的感恩。

守，还让我们明白，大年是时间的一个结扣、一个站台，时间在大地上以春夏秋冬四季的形态存在，过大年其实是上一个轮回的结束，新一个轮回的开始。古人让我们通过过年，了解生命的真相：生命是一个轮回。如果把人的一生看作一年，那么也是一个春夏秋冬的过程。而除夕夜之所以让人们既留恋又伤感，就是因为它是生命轮回中最重要的一个站台。

这是一段被轮回迷狂化了的时间，就像是恋人初约；这是一段被轮回痴情化了的时间，就像是新婚之夜。"晨鸡且勿唱，更鼓畏添挝。"真是希望它的脚步慢些慢些再慢些，非常非常害怕它的失去，就像小时候把一年才能得到一次的水果糖含在嘴里，非常非常怕它融化掉一样。

至此，我们不难明白，和所有的节日一样，守岁，无疑是古人劝归的一声长调。

我的大年我的洞房

　　因为忙碌，今年的大年是在没有丝毫心理准备的情况下
到来的，就像一列飞奔的列车，突然遇到了路障，不得不刹车。
腊月三十下午，我处理完单位上的事回到家中，妻在洗衣服。
我说，总该准备一下吧？妻说，我这不是在准备嘛，如果你
愿意就去擦玻璃吧。我说，洗洗衣服擦擦玻璃怎么算是过年
的准备呢？妻说，那你说还要怎么准备？想想，也的确没有
什么可准备的，就去擦玻璃了，但总觉得还应该为年准备些
什么。可是几个窗子都擦完了，脑海里除过一副对联要买，
还真想不起有什么需要准备的。

　　就上街买对联。一出小区门，发现许多人跪在门口左侧
的空地上烧纸，按照老家的习俗，这应是"请祖先"了。思
绪就飞到老家去了。"请祖先"的时辰到了，一家或一族的
男众向着自家的祖坟走去，远远看去，像一串串葡萄似的挂
满山坡。阳光温暖，炮声悠扬，在宽阔绵软的黄土地和黄土
地一样宽阔绵软的时间里，单是那种不疾不徐的散淡的行走，
就是一种享受。一般说来，坟院都在自家的耕地里。宽阔、大方、

20

从容，让你觉得那坟院就是一幅小小的山水画，而辽阔的山地则是它的巨幅装裱。说是坟院，其实没有院墙，区别于耕地的是其中的经年荒草，还有四周的老树，冠一样盖着坟院，让那坟院有了一种家的味道。坟院到了，一家人跪在经年的厚厚的陈草垫上，拿出香表和祭礼，焚香、烧纸、磕头，孩子们在一边放炮，那是一种怎样的自在和安然。且不管祖先是否真的随了他们到家里来过年，"请祖先"的人已获得一份心灵的收成。

这样想时，觉得留在乡下的哥不再那么苦了，而且有了一种正当理由，老人坚持住在乡下也有了一种正当理由。物质上他们是拮据一些，但他们却享有另一种富裕。

街口就是一家卖对联的摊儿。在老家，每年全村的对联都是父亲写的，后来父亲把衣钵传给了我。有一年自己因病没有回家，村里人就只好买对联贴了。第二年再回去，乡亲们就又买了红纸让我写。我说，买的多好看啊，也省事。他们说，还是写的好，真。一个"真"字，让我思绪万千。现在，也只有在乡下，老乡们才认这个"真"。其实我知道，我的那些蹩脚的字，并没有买的好看。那么这个"真"到底指的是什么呢？现在，一个平时给大家写对联的人，却来地摊上买对联，心里一阵好笑。

想想自家能贴对联的门也只有防盗门了，却还是买了两副。另一副往哪儿贴心里无数，先买上再说。心想，在老家，只有那些特别穷的人家才写一副对联，只在大门上贴贴，表示这个家还有烟火。

摊主说，不请门神？我说，不请了。一个"请"字，让我想起小时候请灶神的事来。随父亲上街办年货，发现父亲买别的东西叫买，买门神和灶神却是"请"。问为什么。父亲说，神仙当然要请。我说，明明是一张纸，怎么是神仙？父亲说，它是一张纸，但又不是一张纸。我就不懂了。父亲说，灶神是家里的守护神，也是监察神，一家人的功过都在他的监控之中，等到腊月二十三这天，他会上天报告一家人一年的功过得失，腊月三十再回来行使赏罚。父亲还说，这请灶神是有讲究的，灶神下面通常画着一狗一鸡，鸡要向屋里叫，狗要向屋外咬。仔细看去，确实有些狗是往外咬的，有些是往里咬的，就看你家厨房在东边还是西边。还有那秦琼和敬德，一定要脸对脸。我问，为什么一定要脸对脸？父亲说，脸对脸是和相，脸背脸是分相，贴灶神也有讲究，一定要贴得端端正正，灶神的脸还要黄表盖着，不能露在外面，不然将来进门的新媳妇不是歪嘴就是驼背。此后，再走进坐了灶神的厨房时，一股让人敬畏的神秘的气息就扑面而来。

买好对联之后，主意又变了，心想再往里边走走，说不定会发现自己没有想到的年货。

在一家卖香表的摊前，脚步不由自主地停了下来。以往，腊月三十天一亮，父亲让我们干的第一件事是拓冥纸，先把大张的白纸裁成书本宽的绺儿，用祖上留下来的刻着"中华民国冥府银行"的木板印章印钱。小的时候觉得非常不耐烦，及至成人，觉得一手执印，一手按纸，然后在白纸上印下一方一方纸钱的过程真是美好。不知从什么时候起，开始有了机印的冥钱，面值是一万元，有的还是华盛顿的头像，显然是来自国际接轨的思路。但父亲还是坚持用手印，有时来不及了，哥就拿出祖父传下来的龙元（一种上品银元），夹在白纸里用木桩打印纸锭，父亲虽然脸上不悦，但终没有反对。纸锭虽然讨巧，却总要比从大街上买那些花花绿绿的好得多。买不买，要收摊了，小贩说。我说，不买了。他说，过年不给先人送点钱花啊，市场经济，哪儿都得用钱的。我说，我们祖先那边还在计划经济时代。

到了炮摊前，花花绿绿的炮群让人眼花缭乱。想买，但一想儿子坚决不让买，就打住了。儿子已经对放炮没有了兴趣，他现在感兴趣的是考重点学校。而一个不放炮的年还是年吗？小时候，一进腊月，父亲就带着我们做炮了。父亲先用木屑、羊粪、硝石、硫黄一类的东西做火药，然后用废纸卷大大小小的炮仗，剩下的火药装在袋子里，侍候铁炮。铁炮有大有小，小的像钢笔一样细，大的像玉米棒子那么粗，屁股那有个眼儿，用来穿引信。过年了，只见小子们差不多每人手里都有一个沉沉的铁炮。小子们先把火药装在炮筒里，然后用土塞紧，然后点燃引信，人再跑开，捂着耳朵等待那一声来自大地深处的闷响。父亲还给我们用钢管做长枪，用车辐条做"碰炮"。长枪大家知道，和当年红军用的那种差不多，只不过腰身小一些。说"碰炮"——把一个车辐条弯成弓形，在弓尾绾上橡皮筋，橡皮筋的另一头拴着半截钢条。这种"碰炮"不用火药，用的是火柴头，把几个火柴头放在辐条帽碗里，用钢条碾碎，然后把系在皮筋上的钢条塞在辐条帽碗里。这样，你的手里就是一张袖珍的长弓。然后高高举起，把钢条向砖上一碰，就是一声脆响。现在想来，那时的父亲真是可爱，在那么贫穷的日子里，在五两白面过年的日子里，他居然有心思给我们做这一切，他的开心来自哪里？而现在，什么都不缺了，但是我却没有见过哥给他的儿子做过这一切。而在城里的我，别说做，就是想给儿子买个炮，他却不要。

到了电灯笼摊前，手又痒了。往外掏钱时，却是一股煤油的味道扑面而来。那是三十年前的供销社，父亲带着我，站在那个比我还高的大油桶前，把带嘴的油壶放在木板柜台上，那个穿着蓝卡其布制服的漂亮女售货员用一个竹竿舀子，把油从油桶里提上来，往油壶里倒。父亲拿出布做的钱包，把几角钱搓来搓去，艰难地做着是否还要第二提的决定。女售货员的舀子就停在空中，一脸理解的微笑，等待父亲的决定。我仰起头来，看着父亲的眼睛，父亲的眼里是一万个铁梅。最终，女售货员悬在空中的那提煤油一路欢歌地进了我家的油壶。父亲说，就是再穷，腊月三十晚上每个屋里的灯都是要亮着的。有时实在买不起煤油，就先保证院子里的灯笼是亮着的。

有那么几年，日子好过一些了，父亲就用清油和蜂蜡做蜡烛，为的是敬神。当然，如果充裕还可以用来照明。做蜡的具体细节记不准确了，只记得父亲在一个个竹棍上缠了棉花，然后伸在清油和蜂蜡混融的锅里一遍遍地蘸，几次之后，一个黄萝卜似的米黄色的蜡烛就成了。一个个蜡烛插在麦秸编的塔形的蜡座上，看上去像个宝塔。最后一个蜡烛做完后，父亲就把那个宝塔倒提起来，挂在房檐上。刚包产到户的那一年，房檐上玉米辫一样挂满了蜡烛串儿，每天看着它们，心里就是一个灯海。在后来的作文课上，我好像写过这么一句话：那不是蜡烛，那是一串串在房檐上睡觉的光明。赢得了老师的表扬。接着几年，父亲都是亲手做蜡烛。再后来，有了洋蜡，虽然比自己做成本低，但父亲还是坚持自己做。父亲说，这敬神就是一个"诚"字，买来的东西怎么能够敬神呢？

要说这红灯笼，比父亲用竹做骨、纸糊面的灯笼好看多了，却一点也没有父亲做的那种"活"的感觉，但还是买了一个。人山人海，不好打车，就提了灯笼往回走。走着走着就走到老家的土路上了。在老家，年三十早上讲究跟抢集。一大早，差不多每家都有人到集上去，没买的再买，没卖的全部出手，有些几乎是送了。有那么一个时刻，街上哗地一下就没人了，一下子成了空街，看着让人心里有些害怕。多少年来，那种哗地一下就没人的情景一次次在梦中出现，让人思索这个"年"到底是什么，为何如此的神通广大，让人们一个个心甘情愿地"自投罗网"，无可抵抗。

看时辰，这一刻在老家的话应该是上坟回来了。心里一下子着急起来，小跑回到家里。一看儿子挥汗用功的背影，又被刚才行色匆匆的自己惹笑了，今年本来就没有打算回老家过年的啊。一放寒假，儿子就一再重申今年春节不回老家。一天，我动员儿子说，回去把三天年一过就回来，你也放松放松。儿子用不容商量的口气说，不可能！妻子附和，年，年年过，高考只有一次，就依儿子了，再说，等你儿金榜题名日，咱们再衣锦还乡，那种感觉该多好。儿子抱了他妈的脖子说，俺妈说得太对了，我们可以回去住它个十天半个月，好好显摆显摆。我说，那你娘俩在城里过，我一人回去。妻说那不行，单位安排她从初二晚上开始卖戏票。二比一，今年过年不回家的决议形成。当时是那么地不可接受，我觉得这过年不回老家就像结婚不进洞房一样不可思议。现在，儿子坚毅的背影似乎又在重申：对不起老爸，今年你就先把你的那个年瘾放放吧。

　　看来这年贴只能在书房里进行了。书房在阁楼，因为是斜窗，不好弄窗帘，搬进来后，为了给自己制造一个相对隐秘的小天地，就顺手把几张报纸贴在玻璃上，不知为何，当时感到的却是"年"的味道。自己知道，这种感觉肯定来自老家八卦窗里新贴的窗花，来自被父亲熬罐罐茶熏黄的房墙上新贴的年画。就过段时间把旧的剥下来，换上新的。每换一次，年的味道就被复习一次。小时候，一进腊月，父亲就早早让我们裁窗花：用纸搓针，把上年的花样钉在一沓新买的红黄绿三色纸上，衬了木板，然后照着花样裁。刀子从纸上噌噌噌地划过，一绺绺纸屑就从刀下浪花一样翻出来，那种感觉，真是美好，更别说看着一张张窗花脱手而出的那种喜悦了。父亲还教我们画门神、画云子（一种往房檐上挂的花饰，我不知道父亲为何把它叫"云子"），包括给戏子打脸。

　　报纸已经贴好，年的味道再次扑面而来，那是一种被阻止了的光，或者说是一种被减速之后的光。这才恍然大悟，原来年的味道就是停下来的味道。那么，这个"停下来"又是谁的发明呢？而人又为何如此地喜欢这个"停下来"呢？莫非它是一个速度和惯性制造的阴谋？我的胡思乱想被窗外的一声炮响打断，好一阵懊悔，多少年藏在心里的一种美好，一种鸡蛋清一样漾在心里的美好，满月一样圆在心里的美好被刚才的胡思乱想划破了。从未有过地觉得思想这东西的坏。"时时勤拂拭，莫使染尘埃"，才觉得这话说得真是好。就用一把想象的大扫帚把这些胡思乱想从心里扫去，连同懊悔。

再次回到腊月三十。接下来该干什么呢？在老家，应该是安喜神和天官神位的时候了。喜神位在大门，天官在当院，或者正面的山墙。显然，这两项在我的书房是无法完成的。就把书柜打开，找出《论语》，放在书柜的最上方，然后找了一个茶杯，在里面装了米，算是香炉，却没有地方放，就把一套精装书抽出来一半，用一摞书压了另一头，把香炉勉强放在抽出的那半面上。人民群众的创造力是无穷的，自己把自己惹笑了，一个模仿年俗的城里人。不知孔圣人看着他有这样一个不地道的供奉人，该作如何感想。父亲说，他们上私塾时，每天早上起来都要在"大成至圣文宣王"的神牌前磕头的，赶考前也是一定要到文庙上香的，考完回来也是一定要到文庙谢恩的，大年三十也是要先到文庙敬献的。现在，文圣的牌位有了，那么祖宗三代的呢？想填一个牌位，却找不到红纸，而白纸是不能设牌位的。再想，就是设了，先人们也识不得城里的路，况且他们压根就不想到城里来。父亲算是半个现代人了，但来城里没住几天，就嚷着要回家，别说先人。还是让他们在老家列席吧。

贴好窗纸，设完祭坛，拖完地，还是觉得不像，发现问题出在这地板砖上。老家的黄土地面，扫净，洒上清水，有一种来自地气的氤氲，感觉就出来了。还有，现在地上没有一个炉子，也就没有那种炭火的香味，没有一壶水在炉子上吱吱作响；没有炕，也就没有炕上的爷爷奶奶，当然也就没有一只偎着他们打盹的猫。"猫儿吃献饭"，这是窗花，也是老家"年"的经典意象，而此刻，这一切，于自己都是梦想。

最后发现，城里最大的问题是没有地方祭祀，在老家，年的气氛多半是上房里那个天地供桌渲染出来的。才明白，这个"年"，它是"土"里长出的一朵花儿，它姓"乡"名"土"，它本来就和这个一厢情愿者是两路人。

老家把张贴对联、门神、云子一应叫"贴巴"。贴巴一毕，该干什么呢？该做泼散和供献了。所谓泼散，就是饭前由长男端半碗饭菜到大门上去布施，大户人家一般有一个节日专设的散台，一般人家就由泼散的人挑了碗里的饭菜反手向四方扔扔，让无家可归的游魂野鬼们享用。所谓供献，就是一家人团坐在上好的饭菜前，供养天地，供养众神，供养祖先，也有点请他们给年夜饭剪彩的意思。然后一家人坐在上房里吃头道年夜饭。头道年夜饭通常是长面，这个妻子倒是做了。妻子也是从农村出来的，这个年俗她懂。

吃过长面该干什么呢？在老家，对于男人，这段时间是一年中最为享受的时光。准备工作做完了，香已上起，烛已点燃，酒已热上。孩子们在院里噼噼啪啪地放炮，男人们就坐在炕上过年。

那个"过"，真是只可意会，难以言传。勉强说，有点像"闲"，但你又觉得它非常紧张，是非闲；是静，但你又觉得它非常热烈，是非静；是温暖，但你又觉得它非常清凉，是非温暖。那是什么呢？是和祝福的同在，是躺在一叶时间的舟上赏月，任舟下碧波荡漾，只不过那月不是月，那碧波也不是碧波，而是一种叫"年"的东西。如果一定要找个词来称呼它，那就叫它"逍遥"，或者"静好"也可以。

如果说年是岁月的精华，那这段静好就是年的精华。多少年来，只要一闭上眼睛，我就能闻到它的香味，那种超越一切香味的香味；看到它的颜色，那种超越一切颜色的颜色；感到它的温暖，那种超越一切温暖的温暖；听到它的脚步声，那种超越一切脚步的脚步，糖一样的脚步。

回过头来，觉得能够表达这段时光的，还是那个"过"字。我反对把汉字简化，但对"过"这个字的简化却非常赞佩，一寸一寸地——过——多好。

男人们"过"年的时候，女人们大多在厨房里，收拾第二轮年夜饭。给孩子们散糖果、发压岁钱一般都在第二道年夜饭端上来时进行，论时辰应该是亥尾，十点半左右。因此，十点半之前的这段时光，男人们就像茶仙品茗一样，陶醉而又贪婪。

　　回过头来说泼散，城里人显然没有条件做。因为没有地方可供你去泼，去散。你不可能把一碗饭端出楼道，泼散在小区里，那样别人会认为你是神经病。

　　供献倒是可以做，就三口人坐在一起献了饭，然后开吃。

　　吃完长面呢？应该是品尝那段静好的时间了。在老家，为了把这段静好延长，由我带头，把贴对联的时间一再提前，后来干脆不跟抢集了，一大早就开始贴了。依次类推，上坟的时间也提前了，有时如果效率高赶得快，那段无所事事的静好就从黄昏开始。按照习俗，一般情况下，只要大门上的秦琼敬德贴好，黄表上身（把黄表折成三角，贴在神像上方，意为神仙已经就位），别人就不到家里来了，即便是特别紧要的事，也要隔着门，这种约定俗成的禁入要一直延续到第二天早上行过"开门大礼"，就是说，这是一段纯粹属于自家人的时光。

　　但是放下碗筷，却一点也没有那种感觉。儿子已经迫不及待地打开电视，手机也不安分，祝福的短信声频频响起。是啊，该给师长、领导和亲朋好友拜年了，就坐在沙发上编词儿。儿子见状，拿了饮料和干果就着春节联欢晚会自斟自饮。编了许多句子，都删掉了。祝福的时刻也是感恩的时刻。年年岁岁，每当写下那个"祝"字，心里就是一阵莫名的感动。

才知道什么叫词不达意，再美好的贺词也难以表达心中的那份感念，对亲人，对师长，对善缘，对大地，对万物。真是岁月不尽，祝福不尽。

从小，父亲就给我们灌输，一个不懂得惜缘和感恩的人是半个人。常言说，受人滴水之恩，当以涌泉相报。可是你想想，一个人一生要用掉多少水，造化这个恩情，一个人怎么能够报答得了。当时不懂得父亲话里的意思，及至年长，每次打开水龙头，就觉得父亲的话真是至理名言，假如这地球上没有水，没有粮食，没有阳光，别的一切又从何谈起？我们还谈什么荣耀，谈什么理想和幸福？这样想来，就觉得在我们生命的背后确实有一个大造化在，她给我们土地，让我们播种、居住；她给我们水，让我们饮用、除垢；她给我们火，让我们取暖、熟食；她给我们风，让我们纳凉、生火；她还给我们文字，让我们交流、赞美，去除孤独和寂寞。要说这才是真正的"供献"，但对此勋功大德，造化却默默无言，无言到普通人连她在哪儿都不知道。

为此，感恩成了我的一大情结。以至于自己的一些古旧的做法在别人看来可能有些可笑。但要改变，似乎已不容易。父亲说，感恩是一个人的操守，应该知行合一，落实在默默的行动上，不要修口头禅。那么短信呢？短信当然不是行动，有些口头禅的嫌疑，但不发心里又过意不去。可身为作家，却写不出一句自己满意的贺词来。就在作难时，一句春联出现在脑海：天增岁月人增寿，春满乾坤福满门；横批，出门见喜。觉得不错。在春联中，最喜欢这句了，尤其"天增岁月""春满乾坤"这对，真是大美。就把按键想象成毛笔，把彩屏想象成红纸，书完赵家书钱家，写完孙家写李家。恍然间又回到了老家，身前是一个方桌，左边是研墨压纸的侄子，右边是排队立等的乡亲，身后是一院红。又被自己惹笑了，一家家住在火柴盒一样的单元楼里，哪里有什么院啊。

如上所述，觉得祝福是一种近似于祈祷的庄严行为，就算做不到虔诚，至少也应该真诚，因此不喜欢那些从网上下载的段子，尤其厌恶群发，就逐个发。

发完已是老家上第二道年夜饭的时间。一般家庭，第二道年夜饭的主菜是猪骨头，我们家因为祖母信佛，父亲又是孝子，尊重祖母的信仰，也就变着花样做几道素菜。妻子征求儿子意见，把这个环节干脆省掉了。但压岁钱是要发的，虽然要比老家发的多得多，可儿子却丝毫没有像几个侄子从我手里接过压岁钱的那种开心，手伸过来了，眼睛还在电视上。

老家也有电视了，多少对那段静好有些影响，但深厚的年的家底还是把电视打败了，大家还是愿意更多地沉浸在那种什么内容都没有又什么内容都有的静好中。说到电视，思绪就不停地往前滑。平心而论，有电是好事，但在没有电之前的年却更有味。想想看，一个黑漆漆的院子里亮着一盏灯笼，烛光摇曳，那种感觉，灯泡怎么能够相比。再想想看，一个伸手不见五指的村子里，一盏灯笼像鱼一样滑动，那种感觉，手电怎么能够相比。假如遇到雪年，雪打花灯的那种感觉，更是能把人心美化。

刚才说过，尽管有了电视，有了春晚，但老家的孩子却没有完全被吸引。吃过第二道年夜饭，他们就穿了棉衣，打了手电，拿了香表和各色炮仗，到庙里抢头香了。几个同敬一庙之神的村子叫一社，那个轮流主事的人叫社长。说来奇怪，那一方水土看上去极像一个大大的锅，那个庙就在锅底的沟台上，但是这种体制并没有限制"锅"外面的信众翻过"锅沿"来敬神。特别是那个灯笼时代，一出村口，只见"锅"里的、四面"锅沿"上的灯火齐往庙里涌，晃晃荡荡的，你的心里就会涌起莫名的感动。如果遇到下雪，沟里路滑，大家就坐在雪上往沟底里溜，似乎那天的雪也是洁净的，谁也不会在乎新衣服被弄脏。

然后，一方人站在庙院里，静静地等待那个阴阳交割的时刻到来。通常在春节联欢晚会主持人宣布新年的钟声敲响的时刻，庙里的信俗两众就一齐点燃手里的香表。这里不像大寺庙那么庄严，有时大人的最后一个头还没有磕完，一些胆大的小子已经从香炉里拔了残香去庙院里放炮了。不多时，香炉里的残香都到了小子们的手里，变成一个个魔杖。只见魔杖指处，火蛇游动，顷刻之间，整个庙院变成一片炮声的海。

现在，窗外也是一片炮声的海，但怎么听都让人觉得是假的。想想，是高楼大厦把这炮声给破碎了，不像在老家，炮声虽然闲散，却是呼应的，"聚会"似的。还有一个不像的原因，就是这是小区不是院子，再好的炮声也让人觉得是野的。

小子们放炮时，有点文化的成年人则凑在庙墙下欣赏各村人敬奉的春联。什么"古寺无灯明月照，山刹不锁白云封"，什么"志在春秋功在汉，心同日月义同天"，什么"保一社风调雨顺，佑八方四季平安"，等等。长长的一面庙墙被春联贴满，假如你是白天到庙里去，一定会远远地看见一个穿着大红袍的老头蹲在那里。庙院里插满了题着"有求必应""威灵显应"一类的献旗，庙堂里"感谢神恩"一类的丝质挂匾堆积如山。每年社上的还愿大礼上，社长就叫人把那些丝质献匾缝成一个帐篷，供戏班子搭台用。

从庙上往回走的那段时光也非常爽。脚下是宽厚的大地，头顶是满天繁星，远处是隆隆炮声，心里是满当当的吉祥和如意。上了沟台，坐在沟沿上歇息，你会觉得年是液体的，水一样汩汩地在心里冒泡儿。要是天天过年就好了，一个说。人家神仙天天过年呢，另一个说。目光再次回到庙上，觉得年又是茫茫黑夜中的一团灯火。

可是现在，我站在自家的阳台上，目光望断，那团灯火却固执地不肯出现在我的视线中。

从庙上回来，一家人往往要同坐到鸡叫时分，由孙辈中的老大带领去开门，然后留一个人看香（续香火），其他人去睡觉，但也只是困一会儿，因为拂晓时分，长男还要去挑新年泉里的第一担清水，等太阳出山时全家人赶了牲口去迎喜神。再想想看，一村的人，一村的牲口，都汇到一个被阴阳先生认定的喜神方向，初阳融融，人声嚷嚷，牛羊撒欢，每个人都觉得喜神像阳光一样落在自己身上，落到自家牲口的身上，那该是一种怎样的喜庆。一村人到了一块净土的正中间，只见社长香表一举，锣鼓消歇，众人刷地跪在地上。社长主香公祭。祭台上有香蜡，有美酒，有五谷六味，也有一村人的心情。社长祷告完毕，众人在后面齐呼，感谢神恩！然后五体投地。牲口们也通灵似的在一边默立注目（更为蹊跷的是，有一年，在大人们叩头时，有一对小羊羔也跟着跪了下来）。

那一刻，让人觉得天地间有一种无言的对话在进行，一方是上天的赏赐，一方是众生的迎请。一个"迎"字，真是再恰当不过。立着俯，跪着仰，正是这种由慈悲和铭感构成的顺差，让岁月不老，大地常青。现在想来，那才是原始意义上的祝福。礼毕，大家都不会忘记铲一篮喜神方向的土回家去，撒在当院、灶前、炕角、牛圈、羊圈、鸡栏、麦田菜地、桃前李下。

大年初一的早上，通常是吃火锅。那火锅和现在城里人用的火锅不同，是祖上留下来每年只用一次的砂锅。说是砂锅，又和现在饭店里的那种砂锅不同，中间有卤灶，四周有"菜海"，卤灶中装木炭火，下面有灰灶。木炭把年菜熬得在锅里叫，就菜的是馒头切成的片儿，那种放在嘴里能化掉的白面馒头片，热菜放在上面一酥，你就知道了什么叫化境。菜的主要成员是酸菜、粉条、白萝卜丝，主角是酸菜，一种母亲在秋天就腌制的大缸酸菜。现在一想起它，我就流口水，那种甘苦同在的酸，只有母亲能做出来。进城之后，我曾让妻子按母亲的方子做过好多次，都失败了。妻子无奈地说，有些东西，城里人就是无福消受。

初一下午的那段时间也不错。记忆中永远是懒洋洋的阳光，就像那阳光昨晚也在坐夜，没有睡好的样子，现在虽然普照大地，但还在眯着眼睛睡觉。我和哥走在那种睡觉的阳光里，去找那些长辈和填了"三代"（在红纸上填写的祖宗三代神位，比如我们郭家，就写"郭氏门中三代宗亲之神位"）的人家拜年。一般来说是按辈分先后走动，但最后一家往往是我们爱去的地方。因为我们会在那家坐下来，喝着小辈们炖的罐罐茶，吃着小辈媳妇端上来的甜醅子，有一搭没一搭地说着在心里存了一年的闲话，直到晚饭时分。不知内情的人会想这家肯定是村里的大户人家，其实情况恰恰相反，他是我的一个堂哥，论起来是村里最穷的人家了，但他却活得开心，永远笑面弥勒似的，咧着个大嘴，让人觉得没有缘由的亲，没有缘由的快乐，没有一点隔膜感。堂哥自己虽然穷，却不抠门儿，假如有些什么好东西，往往留在这天和大家分享。大家都愿意上他家的那个土炕，无论是大人还是小孩。大半村的人，炕上肯定坐不下，小子们就只能围了炉子坐在地上。通常情况下，炕上的大人在说闲，地上的小子们在打牌。有时我们干脆不回家吃饭，接着打牌，堂嫂就给我们做大锅饭。吃完大锅饭，接着打，堂嫂就把馒头笼子提了来，放在牌桌下，谁饿了只要一伸手就可以解决问题。父亲说，奶奶活着时，正月时，一村人差不多都围着奶奶过。奶奶去世后，这坛场就转到堂哥家去了。

父亲还说，那时的年要过整整一正月的。而年的准备工作一进腊月就开始了。父亲说，家里有两台石磨子，四头驴换着推，要转整整一个月，因为奶奶磨的是一村人吃的面。腊八一过，村里的戏班子就住到我们家了，开始排戏。腊月二十四彩排之后，大家回家过年，三天年一过，出庄演出，演戏回来，戏班子就干脆住在我们家打牌，等下一方人下红帖。不过那时村里人不多，正好一台戏，父亲说粮食湾的戏是远近出了名的。关于粮食湾的戏，有许多的故事可讲，别的不说，单说有一年，伯父为了做一尊龙王，三九天在沟泉边往麦草扎的龙骨架上浇水，整整浇了一个月，硬是冻出了一尊活生生的龙王，一出庄，把外方人的眼睛都惊直了，代价是伯父的手指差点被冻掉。多少年来，我一直在想，伯父的这种近似着魔的热情到底从何而来？

相比之下，城里的初一就有些百无聊赖。傍晚，我打开电脑，开始写这些文字，以一种书写的形式温习大年，我没有想到，它会把我的伤心打翻，把我的泪水带出来。

全本戏

腊八一过，心里就乱起来，做事不能专注，思绪总是往老家跑，就像着魔一样。再看新闻，整个中华大地涌动着回家潮。让人感动，也让人忧伤，这，到底是怎么回事呢？因为一个特殊的因缘，今年只能在城里过年，在一种类似失恋的状态中，我站在大年的门外，重新打量，蓦然发现，大年是一出演义。

大年是感恩的演义。寻根问祖也好，祭天祭地也好，给老人拜大年、走亲串戚也好，都是教人们不要忘本。连同一草一木，一餐一饮，半丝半缕，都在感念之列。《说文》释"年"为五谷成熟。而五谷成熟之后呢？感恩啊。于是便有了"腊"，《说文》释"腊"为农历十二月合祭百神。把一年的收获奉献于祖先灵前或诸神的祭坛，向大自然和祖先来一次集中答谢，知恩思源，这便是中国人的逻辑。在享受五谷丰登的喜悦的时候，在品尝佳肴美味的时候，在沐浴阖家团圆天伦之乐的时候，感念天地化育，感念风调雨顺，这便是年了。这种感恩之情，渗透在大年的每一项活动中。而诸如"三阳开泰从地起，五福临门自天来"这些对联，则是对天地直截了当的感恩词。而每年必请的年画《孔子演教图》《三皇治世图》则是对致力于改良世道人心的圣人的礼赞。

禅宗有句话"因何而来"，是说人因何而来，生命因何而来？我想可能就是为感恩而来。所以我们在最感动的时候，恰恰是在感恩的时候。

如果我们有足够的细心去体味，就可以从一粒米中看到造化的恩情。一粒米作为一颗种子进入土地到来年变成一株庄稼的时候，我们可以想象，其中包含着多少阳光、地力、风之调、雨之顺，包括时间，包括耕耘者的汗水和期待。所以年的意义，就是要让我们在大丰收之后，回到一餐一饮，回到一粒米，去发出我们发自内心的那一份感激，对阳光的，对大地的，对雨水的，对风的，包括对时间和岁月的。

真是岁月不尽，感激不尽。

这种感恩之情在最为典型的社火祝词《十进香》中体现得淋漓尽致：

刘炎昌进庙来双膝跪倒，经炉里点着了十炷信香：一炷香烧与了风调雨顺，二炷香烧与了国泰民安，三炷香烧与了三皇治世，四炷香烧与了四海龙王，五炷香烧与了五方土地，六炷香烧与

了南斗六郎，七炷香烧与了北斗七星，八炷香烧
与了八大金刚，九炷香烧与了九天仙女，十炷香
烧与了十殿阎君。

从中，我们既看到了中国老百姓智慧而优美的数字修辞，
从一到十，十大关系，真是再圆满不过，再巧妙不过；又看
到了中国老百姓全面系统的感恩和敬礼，把这些给了他们无
限希冀和美好幻想的古典意象，全部纳入歌颂之列、恭敬之列、
感谢之列。每次倾听，都忍不住热泪盈眶。

感恩是乡土中国永恒的话题。它渗透在中国人的每一项
活动中，渗透在中华民族的每一个节日中，包括婚丧嫁娶。
且不说葬礼，单拿人们再熟悉不过的婚礼来讲，它本身就是
一个感恩节。夫妻双双拜天地、拜高堂、互拜，就是最为集
中的章节。我们可以想象一下，一个人的成长，包含着多少
造化的慈悲，包含着多少父母的心血。只要是一个有心人，
女嫁男娶的时刻，他首先应该想到的是感谢父母。而在民间
比较古典的婚礼上，是必设一个祭桌的，是必要请祖先来见
证我们的誓言、我们的爱情的。那一炷香不点燃，是不能结
婚的；那一个头不磕下去，是不能成为严格意义上的夫妻的。
所以古典的婚礼，它既是婚礼，也是感恩礼。再说夫妻互拜，
那也是感恩的范畴。我们可以想象一下，在数十亿的人群中，
一男一女能够相识、相知、相爱，最终走到一起，结为百年

之好，这中间有多少需要我们去感念的东西。所以古典的婚礼其实是一场古典哲学的演义和教育。现在都市的一些婚礼很大程度上已经变成了一种游戏，一个司仪在那儿不着调地造一些幽默，引导大家说闹，然后大吃大喝。但是中国古典的婚礼不是这样，它是非常神圣的，也是非常庄严的，它要让我们通过它深深地体会一个词：天作之合。现在有不少爱情专家鼓吹爱情可以通过他们发明的公式谋算所得、经营所获，假如古人听到，一定会笑掉大牙。天作之合，这个词，只是想想都觉得奥妙无穷。天作之合，那是一个多么浩大的恩情。想想看，两个人能够同时代生到同一个星球，该是一种多大的稀奇多大的恩典；之后又能够在茫茫人海中相遇，又是一种多大的稀奇多大的恩典；相遇又能相识，又是一种多大的稀奇多大的恩典；相识又能相知，又是一种多大的稀奇多大的恩典；相知又能相爱，又是一种多大的稀奇多大的恩典；相爱又能相合，又是一种多大的稀奇和多大的恩典。只要我们想想这种递进关系中的概率，想想那个时空点的因缘际会，从时间的无量劫分之一，到空间的千百万平方公里之一，到人头的几十亿分之一，再到亿分之一，再到万分之一，再到千分之一，再到百分之一，再到二分之一，这其中，该是蕴藏着多少缘分，多少慈悲。只有这样去推想，我们才能理解什么叫天作之合。既然是天作之合，我们怎么可以不去珍惜这份苦心和成果。所以古人所说的"结发""连理""秦晋"诸词中，该是包含着多少的期待和嘱托，因此不能轻言分手，因为它是天作之合，它是秦晋之好，它是连理之枝。这个恩情，我们如何报答得了，更别说蕴藏在两人身上的"年"了。这也许就是民间为什么认为把婚礼安排在"乱岁"（腊月二十三至除夕）期间才大吉大利的真实"内幕"。

大年是孝的演义，孝是中国伦理的基础。一个孝子，他做学生会是一个好学生，做农民会是一个好农民，做官会是一个好官，为什么呢？因为任何人生的污点和道德上的缺失，都会使父母不开心，都是不孝。这也就是中国文化把孝作为根本的原因，因为它本身就是一个万能的凝聚力和号召力，或者说是道德力。而大年则把孝以一种约定俗成的方式仪轨化，又以一系列仪轨神圣化。在古代中国，大年的许多仪程都是在祠堂进行的，它的核心内容是一个"孝"字。当一个人进入祠堂的时候，就不由得不心存高远，志在圣贤，因为只有如此，他将来才有资格位列"仙班"，并且让他的子孙后代沐浴来自他的光荣；否则，如果因为"德有伤"而被从祠堂开除，那对他的子孙后代将是一种怎样的打击？为此，每年的祭祖大典，既是感恩，又是鞭策，本质是在演孝。比如，大年初一，作为儿孙，都要很庄严地给祖父祖母和父母高堂磕上一头，那一刻，你会觉得不如此不足以表达对老人的祝福。当你，而且只有当你的膝盖落在土地上的时候，才能体会到那种恭敬和崇敬，才能体会到一种你站着或躺着时无法体会的感动和情义，因为那一刻你变成了一种接近于母体胎内的姿态。那本身就是一种孝的姿态，感恩的姿态。

单说大拜年，它在故乡既轻松又庄严。先从谁家开始，有讲究。不是说谁家有权有势就先去谁家，而是看谁辈分最高、谁最年长。无论穷富，无论性别，人们尊的就是一个寿、一个辈分。对长者的尊重是中国传统伦理中的一个非常重要的强调。如果细细考究，这个大拜年，包含着很多很多的人情在里面。正月初一在村里拜年，正月初二呢，做女婿的就要去岳丈家拜年，这样的一个次序是符合中国人的伦常逻辑的。在故乡，初二去岳丈家拜年是"法定"的，你娶了人家的女儿就意味着你要承担一部分孝道，这也是感恩的要义。

因此，我是不同意年的"怪兽说"的。如果说真有一种怪兽需要在岁尾年初去驱逐，那这个怪兽就在人的心里，它是贪婪、自私、嗔恨，包括无情无义，包括没有感恩心、敬畏心和慈悲心。

大年是敬的演义。"志在春秋功在汉，心同日月义同天"，这是关帝庙门的对联。左秦琼，右敬德，这是门神。每逢大年，这些句段和意象都不可避免地进入我们的视线，这是我们对忠义的最初感知。因此，借助大年这个必由之路，一代又一代的中国人让一代又一代的后生一年一度地接受对忠义的怀想和敬仰，潜移默化地让孩子们知道，只有忠义才配在如此庄严和神圣的时刻享受礼敬。

在古人看来，年一定是神圣的。且别说古人，就是我的父辈，对年的感情也和我们大有不同。洋蜡出现好长时间了，但父亲坚决反对我们用洋蜡祭神，说洋蜡不干净，而坚持亲手用蜂蜡做；洋纸马出现有些年份了，父亲也不让我们图省事，还是坚持让我们自己用印模印；父亲反对我们买机印对联，坚持手写；反对我们买机封年礼，坚持手包。元宵节也同样，每年在夏天打麦的时候，父亲就已经准备元宵节点灯用的麦秸了，挑最正直的，用净纸包了，放在院墙高处的蜂窝里，以免污秽，等等。他之所以如此，无非是想保持一个"恭"，坚守一个"敬"，完成一个"真"。再比如，父亲把买灶神、门神像不叫"买"，而叫"请"；把点香不叫"点"，叫"上"，则是直接的敬词了。

而敬，在更多地时候则体现为一种静。大年中的一切仪式，可能都是为了帮助人们进入这个静，包括社火和爆竹那种动态的静。因此，我认为，在老家，春晚恰恰是一种打扰。为什么呢？除夕的本意是守岁。我们且别去追溯"守"的原义，单看字面，"屋子"下面一个"寸"。在我理解，它是告诉我们，屋内是一寸一寸的光阴，需要我们一寸一寸地用心去守护。故乡又把守岁叫"过夜"。我反对简化汉字，但这个"过"我觉着简化得非常到位，"走"上面一个"寸"，它告诉你，时间在一寸一寸地移动，当我们回到当下，去一寸一寸地体味时间的时候，那才是真正意义上的"守岁"，才是真正意义上的"过年"。从这个意义上说，什么叫大年？大年就是一寸一寸地享受时间和空间，这时的任何喧闹，或者说任何非自然的喧闹，都是一种打扰，何况像春晚那样人为的巨大的喧闹。

为此，假如把春晚提前或挪后一天，可能会让年味大增。

大年是"和合"的演义。"和"是和谐，"合"是团圆。一年的奋斗和汗水，只有回到团圆，落实到和谐上才有意义。这，也许就是势不可当的回家潮的缘由吧。一年是如此，一生也同样。假如我们的一生不能落实在"和合"二字上，也是虚度，也是错过。正是基于这样的理解，才有"和气生财""和气致祥"这些成语。在古代，人们干脆把"和合"尊为仙人，称为"和合二仙"。无论是万里之遥朝发夕返的"万回"说，还是亲如兄弟爱如夫妻的"寒山拾得"说，都不离"和合"二字的本义。每一个上年纪的中国人，大概脑海中都有一个"和合"二仙的模样，也有一个"荷"和"盒"的意象。

团圆饭，特别是除夕的团圆饭，它不是简单的一顿饭，在更多意义上，它是一个伦理上的安慰，或者说是一个伦理上的需求，或者说是一个伦理上的象征。团圆意味着健康，意味着平安，意味着绵延昌盛。这也就是为什么一年的辛苦和汗水只有落实到团圆上才有意义。所以中华民族关于家关于族的理解，它最为核心的，或者说最有代表性的体现，就是除夕的团圆饭，一家人一族人能不能坐在一桌上，它已经不单单是一顿饭的问题，而是这个家的圆满程度、幸福程度、昌盛程度。大年三十，我们习惯上都要吃饺子，而饺子呢，它不同于面条，不同于菜，它是一种包容，一种"和合"，一种共享，一种圆融，它象征着团圆、幸福和美好。

团圆之所以如此重要，还因为它是一个忧伤的话题，一个永恒的忧伤话题，因为从一定意义上讲，它是分别的代名词，因为没有分别就没有团圆。团圆给人们的渴望因何如此强烈？就是因为这个世界上有太多的分别，而且分多合少；也正是因为分得太久，合才显得特别甜美。人在这个世界上生存，奔波是难免的，出游是难免的，为了生计走南闯北是难免的，无论做官经商打工。特别是现代社会，大多数人事实上都是游子，而游子盼归，这本身就是忧伤的话题。所以，如果我们在喜庆之外，在大红大紫之外，要给大年再找一个色彩，那一定是忧伤了。过完大年，点完明心灯，我们又要出发。所以大年它是港口，是归帆的地方，也是千舟竞发的地方；它是驿站，又是岸；最终是伴随游子走天涯的三百六十五个梦。

再说"和合"。可以作为中国人表情的年画《一团和气》，居然可以让一个人端居圆中，甚至就是一个圆，真是再智慧不过。而中国人记忆中的经典意象"福""禄""寿"三星，在我理解，和"和""合"二仙有着脱不了的干系。他们笑口常开，以八千岁为春，八千岁为秋，经百万亿劫不恼不怒，历百万亿劫无怨无尤。当一个民族以这样的意象作为图腾，她，怎么不可以万古长青？我们可以想象一下，设若一个人正在生气，看到这样的年画，他的脸上该出现怎样的表情？

什么是福，什么是禄，什么是寿，答案就在他们的脸上。

在我老家，只要人家填了"三代"，大年初一都要去上香的，即便两家是仇人。在老家，许多怨家就是大年初一这天和好的。人家都能进门来，在"三代"前上香，在祖宗前磕头，我们还有什么不能原谅的，于是握手言和。就是再大的仇恨，如果这天你不去人家"三代"前上香，那全村人都会看不起你；假如你去了，对方不让你进门，那全村人从此就会不进他家的门。

正是基于这样的民间"条例"，大年成了一个天然的和事佬。包括大年初二之后的"走亲戚"，除了体现着感恩、孝和敬的主题之外，还是对乡村伦理的一种自然维护。

"三十"的火、元宵的灯，每个房间要通明。它是在两个不同的时空点上，以火和灯演义一种平等性。大年三十晚上每个屋子都是不能黑着灯的，无论是牛窑羊圈还是鸡棚狗舍，都要给它一盏灯，都要"进火"，不能有一处黑暗，不能有一处光明的盲区，真是天涯共此时，光明共此时。元宵

49

节的灯也一样，分配在每一个层面，包括仓屯、井栏、草垛、磨台、蜂房、燕窝，甚至桃前李下，都要和人一样拥有一盏灯，都不能有遗漏，这就是中国人的"众生"理念、平常心和平等观，它的背后还是一个"合"。

大年是"天人合一"的演义。这种演义从腊八就开始了。关于腊八的传说有许多，在我看来，它旨在提醒我们从功利中回来，"难得糊涂"一下，享受生活，享受当下，因为回到当下是对诸神最大的礼敬，也是对生命的最大关怀。"慈悲"的"慈"，字面是"兹"下面一个"心"，我认为就是"这里，现在的心"。古人借之告诉我们，回到当下是最大的慈悲，因为只有你回到当下，你的心才在现场，而只有你的心在现场，你才在"生"之中，才在"人"的"职分"之中，你也才有感恩的资质，甚至感恩的本意。而"忙"则是"心"的"亡"。

在大年中有许多具体的要求和程序。

听父亲讲，社火中陪伴仪程官的几大灵官，在上妆之后就不许说话，多数情况下是整整一天。因为在进入社火之后，就不是世俗意义上的人，而是傩，就意味着他是天地中介，人神共在，凡圣一体，任何世俗的表达都是不敬，都是冒犯，都是非道，包括世俗的念头都要警惕，都要观灭。这种极为强烈的角色意识和纯粹的进入，贯穿在大年的所有祭礼中。为此，从腊月三十开始的一个个祭礼，无不都是一种走进"天人合一"的门径。关于爆竹，也有许多说法，但在我理解，它既不是为了驱邪，也不是为了热闹，它是唤醒世人的一种方式，通过那一声声一串串或脆或钝的响声，把我们从迷糊中警醒过来。

"古寺无灯明月照，山门不锁白云封"，当第一次在老家的山神庙门看到这样的对联时，一种难以言说的美感让我心灵战栗。那种超尘超凡，真是深入人的骨髓。在大年，会随时体会到这种心灵的震颤。

而月圆之夜，点灯时分，则纯粹是一种"天人合一"的方法论。有一年我去逛一个城里的灯会，有烟花，有铺天盖地的花灯，心里却觉得十分的隔膜，不多时就打道回府了。当我站在阳台上，向老家张望的时候，有一束火苗就在心里展开，心就一下子静了下来。多年以来，我都在寻找一个词去表达心中的那种感觉，却很难确切。我只能勉强说，它是一种大喜悦，或者是一种大安详。

那是老家的元宵，沉甸甸的月色中，一桌的荞面灯渐次亮起。

就永远亮在一个游子的梦里。

点灯时分，它是一个怀念，更是一个引领。借助那些摇曳的灯苗，我们得以走进生命的原初，得以看到释家所讲的那个"在"。

也许这灯，就是灵魂的形状，或者说是生命的形状，或者说是"天人合一"的形状。它本身给人一种召唤。我想每一个人在看到灯的时候、火的时候，都会有这种回到自身的感觉。我曾在一篇散文中写道，暖气片尽管给了我们热度，可我们觉得它是冰凉的，而炉火可能提供不了暖气片那样的热度，但是当我们看到那一束火苗的时候，一种莫名的温暖就从心底升起。这也许就是为什么在许多祭礼中都要出现火的缘由吧。也许，火的状态就是一种当下的状态，火在点燃之前是沉睡，燃烧之后则进入另一种沉睡，只有燃烧的那一刻是醒着的。而只有亮着灯光的房间，小偷才是不敢光顾的，可是一生中客串我们心宅的小偷何其多尔。这也就是元宵节，点灯时分，老人为什么不让我们心生任何杂念的缘故吧。记得当时我问父亲，可以想发财吗？他说，不可以。我说，可以想当官吗？他说，不可以。那可以干吗呢？他说，你就静静地看着，看那灯捻上的灯花是怎样结起来的。看着看着，我们就进入一种巨大的静，进入一种心如止水的状态。那一刻，我们的心灵可以说是一尘不染，就像头顶的一轮明月。真是敬佩元宵节的创造者，他能够把点灯时分和月圆时分天然地搭配，简直是一个再高妙不过的创造。你的面前是一个灯的海洋，头顶却是一轮明月，那事实上就是你的心了。这一刻，你怎么不"天人合一"呢？

而那灯本身就引人思索。一勺油，一柱捻，一团荞面，就能够"和合"成一个灯，油不尽则灯不灭，而最终让这灯亮起来的则是人手里的火种，那么，人手里的火种又是谁点燃的呢？

这难道不是生命和宇宙的奥秘吗？

　　大年是祈福的演义。无论是年画、社火、大戏，还是各种祭礼，包括一言一行。《一团和气》《连年有余》《五福临门》《出门见喜》《天官赐福》这些年画，既是中华民族的符号，也是中华民族文化的核心意象，同时也是人们美术化了的祈福。社火中的仪程则是纯粹的祝福。比如中国妇孺皆知的《刘海撒钱》：一撒风调雨顺，二撒国泰民安，三撒三阳开泰，四撒四季平安，五撒五谷丰登，六撒六畜兴旺，七撒北斗七星，八撒八大金刚，九撒九天吉祥，十撒十方如意。比如《状元郎》：大门楼子高院墙，凤凰落在房顶上，凤凰展翅人发旺，辈辈儿孙状元郎。比如《祭灶词》：今年又到二十三，敬送灶君上西天。有壮马，有草料，一路顺风平安到。供的糖瓜甜又甜，请对玉皇进好言。比如《财神颂》：财神进了门，入者有福人，福从何处来，来自大善心。就是说，财神进门是有前提的，那就是你首先要是一个有福人。而福从何来，福从善来。由此，我们发现，这个《财神颂》，实际上是告诉我们财神的本意。

53

　　什么叫"五福临门"，什么叫"出门见喜"，什么叫"天官赐福"，都是一个人为自己的行为负责的一种比较仪式化的训诫，这才是祈福的本质意义。如果说你带着很强的功利心去求荣华富贵是求不来的。

　　所以，五代的冯道说："但知行好事，莫要问前程。"

大年当然是喜庆和快乐的演义。大年的喜庆如汪洋大海。它在香喷喷的饭菜和茶饮里，在红彤彤的"门迎春夏秋冬福，户纳东西南北财"的句子里；它在排山倒海的爆竹声中，也在喧天动地的锣鼓声中，还在漫山遍野的秦腔中；它在一家人团圆的天伦之乐中，也在孩子们的新衣服和压岁钱中；它在灯光，在墙围，在年画，在门神，在对联，在社火，更在老百姓的"把酒相邀，共话桑麻"里；它在瑞雪兆丰年的期盼里，也在普天同庆的氛围里；甚至在《猫吃献饭》《老鼠娶亲》这些窗花里。想想看，雪打花灯，喜鹊啄梅；想想看，热炕在暖，子孙在绕；想想看，"抬头迎春春满院，出门见喜喜盈门"；想想看，一元复始，普天同庆。注意，是"普天"，是"同庆"。

　　大年的喜庆真是像根一样扎在大地深处，扎在季节深处，也扎在华夏儿女心灵的深处，它像庄稼一样成长，也像华夏儿女的心事一样成长。

　　这大年，就是为生长喜庆而来。

　　大年的快乐如汪洋大海。且别说在现场，就是每一次回想，都让人的心灵为之战栗。在写完长篇小说《农历》之后，我再也没有经历过类似享受的写作过程，那真是一段记忆中的黄金。如果说我这一生还有什么足以让自己欣慰的地方，那就是拥有这样的黄金。我非常感激上苍没有把我降生在城里，包括豪门显贵之家，却投放到一个名叫粮食湾的小山村，它让我能够从童年开始就享受大年所带来的那种刻骨铭心的快乐,销魂的快乐,无缘无故的快乐。我曾在长篇小说《农历》"大年"一节中写到一个细节:当五月和六月把新衣服穿上以后,正式守岁的时候还没有到来,他们俩就在院子里莫名其妙地跑,从这个屋跑到那个屋,从那个屋跑到这个屋,没有缘故,就像两尾鱼,在年的夜色的河流里穿梭。那种没有缘故的快乐,在我人生以后的乐章中再也体会不到了。那种快乐之所以让我那样迷恋,就是因为它是纯粹的快乐,没有任何污染的快乐,没有任何杂质的快乐,纯天然的快乐。这个快乐我现在还说不透,它到底为何如此让人怀念,让人感动,让人难以忘怀。但有一点是肯定的,那就是它跟大年有关。

也许大年原本就是童年的,原本就是人类的童年,原本就是无尽岁月的一颗童心,才让人如此彻骨地怀念和感动。它事实上已经不单单是一个节日,而是一种类似于母亲怀抱的所在。在这个特有的母亲怀抱里,我们的灵魂得以舒展,得以灿烂,得以滋润,得以狂欢。

大年最终是教育和传承的演义。时时处处,都在演教。无论是对联、年画、社火,还是祭祖、守岁、拜年,等等。无不是为了唤醒人们的正知见,让人们回到真善美,甚至回到生命本质。"几百年人家无非积善,第一等好事只是读书"这样的对联自不必说;"欲高门第须为善,要好儿孙必读书"这样的仪程词自不必说;《朱子家训》《弟子规》《和气生财》

《和气致祥》这些年画自不必说；这种教育，还渗透在大年的每一项活动和每一个细节之中。比如长篇小说《农历》"大年"一节中父亲写错了一副对联，很可惜，六月说没关系的，我们可以送给傻子家。父亲就生气了，他批评六月只有小人才欺负傻子。腊月三十，父亲带领五月六月上完自家的坟，没忘去乱人坟。再比如，在故乡，把初一到初七七天分别命名为鸡日、狗日、猪日、羊日、牛日、马日、人日。问父亲为什么把初一定为鸡日。回答是鸡是"五德之禽"，它头上有冠之美是文德，足后有距能斗是武德，敌在前敢拼是勇德，有食招呼同类是仁德，守夜报晓不失时是信德。还比如，每家的老人都要叮嘱孩子，过年要断"三恶"、修"四好"。"三恶"是恶口、恶行、恶念，"四好"是存好心、说好话、行好事、享好福。想想看，当每一个人都做到了断"三恶"修"四好"时，那日子该是多么祥和。

在乡土中国，大年还是一个文化展览和交流的平台，在我的老家西海固那一带，有许多人家藏着一些字画，但平时舍不得挂，害怕尘土把它染脏，只有在每年除尘之后才把它挂上。比如说最经典的《朱子家训》，差不多是每一家都要有的，还有《弟子规》。大年初一，大家在走村串户拜年的时候，一方面是在拜年，另一方面就是成群结队地去巡览字画。"黎明即起，洒扫庭除，要内外整洁；既昏便息，关锁门户，必亲自检点；一粥一饭，当思来之不易；半丝半缕，恒念物力维艰"，这些句子就是在小时候大拜年期间识得并潜移默化地记得的。

　　每年除夕，大家都要到庙里去抢头香，在等待子时到来的时间里，干什么呢？看展览。展现在我们面前的，是整整一庙墙的对联，整个一面庙墙上全是红彤彤的对联。"古寺无灯明月照，山门不锁白云封"这样绝妙的句子就是在庙门上看到的。在那样绝尘、肃穆的环境中，看到这种超凡脱俗的句子，你的心灵经历的该是一种怎样的美的洗礼。再比如"保一社风调雨顺，佑八方国泰民安"，是一种怎样宏大的境界。小的时候不觉得，现在回味，真是佩服得五体投地。他们不但要"风调雨顺"，还要"国泰民安"，这就是中国老百姓的胸怀。他祈祷，他祈福，但他没有说"保我家风调雨顺，佑我家荣华富贵"。从这个意义上讲，你说大年它是不是一种爱国主义教育呢？而"志在春秋功在汉，心同日月义同天"这样的很文气的礼赞，你丝毫不觉得它是一个民间的赞美，但是像这样的句段，都会出现在每一方每一社的庙院里。

　　特别是"天增岁月人增寿，春满乾坤福满门"，是所有春联里我最喜欢的，它包含着一种多大的祝福，同时又体现着一种无法言说的天地伦理。"天增岁月人增寿"，它的大前提是"天增岁月"，才能"人增寿"；"春满乾坤福满门"，它的大前提是"春满乾坤"，才能"福满门"。"岁月"在前"乾坤"在前，"寿"在后"门"在后，这就是中国人的逻辑。中华民族在任何时候都在讲"国家"，在讲儒家学说的核心概念"仁"，它就是让我们走出小家，从一个人变成两个人，就是一事当前要能想到别人。它首先强调共体，再强调个体，我想这就是为什么四大文明古国中，唯独中华民族还屹立在世界民族之林的原因，因为它永远先强调国，再强调家，先强调共体，再强调个体。它的程序是"格物致知，诚意正心，修身齐家，治国平天下"，前者是讲人，中间是讲家，然后是国，然后是天下。每一个婴孩儿从诞生的那天起他就在如此的教育体系中，这样的民族怎么会不绵延不绝呢？

而从腊八开始，回旋在村子上空铺天盖地的一出出秦腔，则是情节化了的教育范本。在《葫芦峪》中我们接受忠义的感染，在《铡美案》中我们接受公义的熏陶。在大西北每一位老百姓的记忆中，大概没有谁不知道《三对面》，请听这段像阳光一样照耀和温暖着一代又一代老百姓的唱词：

公主：你向秦氏因何故？

包文正：陈世美杀妻害子罪非轻。

公主：你能问他个什么罪？

包文正：定赴铜铡不留情。

公主：当朝驸马你焉敢？

包文正：龙子龙孙依律行。

公主：我要传令把秦氏斩。

包文正：为臣在此你不能。

公主：要斩要斩实要斩。

包文正：不能不能实不能。

公主：欺君罔上包文正！

包文正：理直气壮为百姓！

……

　　一种大慈大悲的旋律在村子上空回旋，一种善恶分判的
节奏在大地上响起，荡人气、回人肠、催人泪、热人血、直人骨、
正人髓。那是简单的音符和旋律，却是深沉的关怀和鼓励。
它让人在心里默默地对那个黑脸红心的人致敬，向高悬在公
堂之上的天地精神"正大光明"致敬。

　　现在，我才发现，大年是一出中国文化的全本戏，是一
出真善美教育和传承的全本戏，是中华民族基因性的精神活
动总集，是华夏子孙赖以繁衍生息的不可或缺的精神暖床，
是中华民族的体统。它是岁月又超越了岁月，它是日子又超
越了日子。它带有巨大的迷狂性和神秘性，这种迷狂和神秘，
可能来源于中华民族的精神源头巫传统，其核心是"天人合
一"。而要达到"天人合一"，"格物致知"是必要条件，"诚
意正心"是必要条件，"修身齐家"是必要条件，"治国平天下"
同样是必要条件。

　　回到大年本身，祈福也好，祝福也罢，"天人合一"既
是目的又是方法论，为此，我们需要不打折扣的诚信和敬畏，

需要不打折扣的神圣感，所谓"与天地合其德，与日月合其明，与四时合其序，与鬼神合其吉凶"。这个大年，不就是一个"合"字吗？和天地相合，和日月相合，和四时相合，和鬼神相合。这种迷狂，这种大喜悦大自在大快乐，不就来自这个"合"吗？现在再去回想，为什么爱情那么让人着迷，也是一个合；为什么阖家团圆那么让人着迷，也是一个合；为什么天降大雪那么让人着迷，也是一个合，等等。所以这个"合"字可以说是中华民族的一个代表性符号，或者说代表性的意象，它所承载、表达、传承的文化的指涉、会意、象征，简直是无法用语言去描述的，我们也许只能从年的味道里去体味，从那种无缘无故的喜悦和狂欢中去体味。

正是这种迷狂性，才造成了海潮一样的回家潮，才让人们在季节的深处不顾一切地回家，候鸟一样，不由分说地、无条件地，回家。为此我说，娘在的地方就是老家，有年的地方才是故乡。

我们甚至可以说，大年是中华民族一桩无比美好的计谋，她把华夏文明的骨和髓，通过连绵不绝的仪式，神圣化、民间化、亲切化、轻松化、出神入化……

从腊八开始，到年二十三结束，整整四十五天，大年像一个循循善诱的导师，又像一个天才的导演，演绎着中国文化的无尽奥义。

懂得了大年，就懂得了中华民族，也就懂得了生命本身。

大年，中国人的心灵底片

流行无限：打捞乡愁的团队

蛇年腊月，由央视四套《流行无限》编导宋鲁生先生汲引，受制片人王海涛先生之约，我到北京做八集电视纪录片《中国年俗》的文字统筹。由此，我得以观看被派往二十多个省市的编导拍摄的年俗镜头。

从中，我强烈感受到，中国年，是中国人最浓重的乡愁。

无论是"忙在腊月""守在三十""回在初二"，还是"玩在正月""乐在正月""吃在正月"，等等，一组组散发着泥土芬芳的唯美的镜头，如同一位位故人突然出现在我的面前，让人惊喜。

世界还是原来的世界，看你用什么目光去打量。这些充满着大美的画面，让人相信，"美丽中国"就在大地之上，只要我们愿意下去，愿意欣赏。

王海涛和他的团队，更是以拼命工作的方式来享受着这种美好。由于立项较晚，进入正式编辑阶段已经距离新年仅仅十天时间了。在我陪伴他们的一周内，他们几乎在夜以继日地工作。他们住在"影视之家"宾馆里，各自的房间既是办公室，又是工作室，稿子改了又改，结构讨论了又讨论。整个过程就像急行军一样。那是一种速度极快的争论，打机关枪似的；那是一种不留情面的争论，辩论会似的；那是一种解决当下问题的争论，常常以执行总导演的一句结论结束。随着执行总导演一句"散了，回去干活吧"，大家迅速撤离。大家的脚步还没有走出房间，执行总导演的目光已经在稿子上了。

我怕烟味，但我对这几天一根连一根抽烟的制片人和执行总导演却充满了敬意，我知道，他们借助烟来提神。

我留意到，大家在离开执行总导演房间时，会到摆放"战备物资"的房子一角拿上几包咖啡，抓上几个面包。

我留意到，大家在走进执行总导演房间时，会撕开桌上的蛋卷，快速塞进嘴里，而整个人还在稿子里。

晚饭的时间是大家放松的时间。二十三小年那晚，制片人还特意为大家订了饺子。我看到，他给每位编导都倒了柚子汁，然后清点人数，最后发现分集导演宋鲁生还在机房，执行总导演周密就拿起电话，"快点快点，大家都等着你呢。"不多时，鲁生笑嘻嘻地走进餐厅。然后大家一起举杯。

这晚，桌上除了我们，还多了一位，那就是一位土家族小编导的丈夫，他从远方拍片回来，来妻子这里拿房门钥匙，制片人给我说，他们二人常常是他上飞机，她下飞机。这次，他们已经十多天没有见面了。

他们的小年，在"中国年俗"的现场团圆了。

晚上，大家到机房看第一期成片，那位小编导要去。制片人说，你就别去了，和老公说说话吧。目光是关切的，心疼的。

但是不多时，我发现他们也站在我们身后看片，小编导说，只有他才会给我们说实话。

从制片人口中，我听到了"播出安全"四个字。为了这个安全，他在分分秒秒地算着时间，大家在分分秒秒抢着时间。谁谁谁干到天亮，把片子交到谁手上，然后"给我马上上床睡觉"，几个小时后起来做下一道工序。我还听到一种"借活"的说话，就是现在我有空帮你干，到时你帮我干。这，不就是一种"大年精神"吗？小时候，村里人正是这样"借活"的，今天我给你家帮忙炸油饼，明天你给我家帮忙做蜂蜡。这是腊月，如果是平时，谁家有了红白大事，主人恰恰是轻闲的，一切都由乡亲来张罗，这是一种不成文的约定俗成。

二十四的晚上，制片人给大家要了菜，但他一直没有出现在桌上，等我吃完，才看见他在另外一个空桌上紧张地发着短信。编辑们告诉我，频道总监审了片子，提出一些意见。

二十五日早，我收到一则短信：新闻联播从初一到初四将每天口播30秒配画面，播报《中国年俗》中的内容，谢谢您的辛勤努力！！！后面是三个惊叹号。我想这肯定是制片人群发给团队人员的激励短信。作为一个中国人，我能够收到这样一则短信，觉得十分安慰。我总算能够以一己之力，为祖先做点事，为祖国做点事。

显然，他们在超常调度着他们的体力和精力，但我没有从他们脸上看到埋怨和疲惫，而是越战越勇，一些编导太累了，就头搭在凳子上打个盹，接着工作。其中执行总导演周密既要统稿，还要编片，还要协调诸多事项。我眼睁睁地看到，她从坐在沙发上看稿，到斜躺在沙发看稿，再到溜到地板上看稿，最后干脆坐在地板上了。无疑，这是身体多么想躺下睡觉的一个潜意识信号。

我仿佛能够感受到，冥冥之中，有无数的手在给他们传递着能量；我仿佛能够看到，华夏先祖，正在注视着他们，加持着他们，希望他们能够把这件华夏儿女盼望了许久的工程完成，可谓"为往圣继绝学"。为此，我也放弃了在工作间隙会几位朋友的计划，静静地坐在房间里，随时等待他们传唤。我做不了大事，但愿意通过自己的文字，为《中国年俗》略尽绵薄。

尤其让我感动的是，分集编导大多是年轻人，他们不可能像我这样，是一个大年迷，但是每当我谈起年俗，给他们一些建议，他们都是两眼放光，欣然接受。

执行总导演周密干脆说她因此喜欢上年了。

大年，中国人最浓重的乡愁

通过几天的工作，我再一次感受到，大年是中国人最浓重的乡愁。

大年中的仪式，已不单单是仪式，而是华夏儿女最稳固的基因排序，只要这样的基因排序不断裂，华夏儿女的精神大树就会长青，中华民族的生命大厦就会永远屹立。在我的长篇小说《农历》的创作谈中，我讲过，之于经典传统、精英传统，民间传统更牢靠，更有生命力，一些特定的历史时期，人们一度中断了经典传统，但是没有谁能够取消民间传统，没有谁能够取消掉春节。因此，回到春节，就是连根养根。在今天，人们更是希望有一棵棵参天大树出现在中华大地上，为人们的心灵遮风挡雨。对此，作为中国人集体无意识的年，当是苍松翠柏。现在，央视以八集年俗的方式为这棵大树浇水培土，无疑是在做着一件功德无量的事情，可谓"为天地立心，为生民立命，为往圣继绝学，为万世开太平"。

看着一篇篇文稿，我在想，大年中的道具，已不单单是道具，它是一个个符号，这种符号对应到人们心里，则是一个个念头，这些念头，一如一幕幕电影的底片，决定了中华大地这一巨大荧屏上展演的一出出电影的内容。春联、窗花、年画、戏词、社火队的服装，都是如此。他们看上去是符号，其实是一粒粒正面力量的种子，每年春天，都要播种一次，每年腊月，都要收获一次，如此反复，形成中华民族超稳定的心理结构和集体无意识。

为此，春联已不单单是春联，而是中国人的心灵底片，中国人的生命大戏。正是这些底片的播放，窗花已不单单是窗花，而是中国人的心灵图纸，中国人的生命大戏，正是这些图纸的展现。

爆竹、锣鼓、秧歌，是中国人向天地致敬的媒介；花馍馍、馒头、长面、饺子，则是中国人以食为敬，以食感恩的载体。

一则则神奇的春节故事，一幅幅让人陶醉的画面在眼前展开：无论是黄土高原，还是岭南乡村，人们无不慢下脚步，放下心事，在欢声笑语中，在微醺薄醉中，享受正月特有的光阴诗意、人间幸福。这种幸福，离开了大年，将不复存在。它是大年之树上结出的特有的岁月果实。

想一下腊月的集市都让人美得战栗。小时候的我，拿着自己画的门神，到街上卖掉，换得一挂挂鞭炮的情景；手里攥着几张红纸，拿着一瓶墨汁，走在回家路上的情景……一如幻灯，一一浮现。累了，坐在山坡上，看着面前的集市，觉得那已不是一个集市，而是另一个世界，一个非人间世界，人们把对祖先的敬重，对儿女们的祝福，对美好生活的期盼，都化在匆匆脚步里。

关于除夕守岁，我写过散文《守岁》，写过中篇小说《大年》，写过长篇小说《农历》，但仍然觉得没有抵达那个"守"字，儿时那种一寸一寸品尝时光的情景，讲给现代人，恐怕也难以体会了。

但在这几天里，通过《中国年俗》的一组组镜头，我看到了当年的情景，它让我相信，在中华大地上，还有很多像我这样的大年迷，在津津有味地过年。

我喜欢编导们以"忙在腊月"为题讲腊月的年事，也喜欢"守在三十"这样的意象，但我把"乐在初二"改为"回在初二"，在我看来，初二是一个巨大的人伦美丽，这种美丽的背后，藏着我们无法言说的崇高。想想看，一个女子，从呱呱坠地，到长大成人，饱含着多少父母的辛劳。可是，正当她们有能力回报父母的时候，却离开了父母，转嫁他乡，为人妻，为人母，传人后，兴人家。对于娘家，这是一种怎样的舍；对于婆家，这又是一种怎样的得。

"桃之夭夭，灼灼其华；之子于归，宜其室家。"正是这些像桃花一样开遍大地的女子，在延续着一家又一家的命脉，也延续着人类的命脉。因此，初二回娘家，已不单单是女婿对岳丈岳母大人的回敬，而是一种天地伦常了。

作为中国年的一个经典意象——回娘家，既展现了中国人无限的感恩情怀，也演绎着中国礼仪的深厚和美丽，一个"回"字，让大年初二充满了亲情，也有了一丝甜蜜的忧伤，正是这个"回"字，让两家亲如一家。

初一祭祖，迎喜神，给本族长辈拜大年，天经地义。初二带着妻子回娘家，给岳父岳母大人拜年，地义天经。

想想吧，这一天，中华大地上，有多少条道路，有多少对小夫妻，走在回娘家的路上。

想想吧，这一天，中华大地上，有多少双眼睛，在望着大门口，盼着女儿女婿和外孙出现在他们的视线里。

大年三十的饺子还留在锅里，给外孙准备的压岁钱还装在兜里，只等那一声清脆的"姥爷姥姥"传到耳边。

如果说大年初一是一棵树干，初二就是它的枝了，通过一根根华枝，亲情在大地上延伸；如果说大年初一是心脏，初二就是血管了，通过一条条血管，亲情在大地上流淌。

给岳丈岳母拜完年，接下来就要给所有亲戚拜年了，那将是乡村中国整整半个月的事情，之于重礼守义的中国人来说，它的重要不亚于春种秋收。就这样，人们通过大地，收获庄稼；通过走动，收获情义。

我不知道是否可以这样说，有娘的地方才是故乡，有年的地方才是中国。

人们之所以越来越重视大年，正是因为她是中华民族的根系所在，元气所在。

她无以伦比的精神力量、情感魅力，有效调剂着现代人的危机感、失落感，缓解着超快生活节奏给现代人带来的同样无以伦比的压力和焦虑。

　　无疑，大年是中国人最浓重的乡愁。

　　留住了大年，就留住了中华民族的根。

愿人人都能顺利返乡

我是一个大年迷，迷到什么程度呢？用十二年的时间写长篇小说《农历》，其中"过大年"占了将近三分之一的篇幅。但仍然觉得没有传达出心中的那种"年"味儿。

这些年，有好多记者问我，为什么年味越来越淡了呢？在我看来，是因为我们把大年里面的祝福性因素给剔除掉了。只要把祝福性恢复之后，年味自然会浓起来。

去年帮中央电视台做百集大型纪录片《记住乡愁》的文字统筹工作，发现但凡传承千百年的旺族，都没有丢掉祝福。

心理学告诉我们，每个人都有一个永恒账户，就是我们的潜意识，它是永远不会消失的，那就意味着我们祖先的潜意识还在。既然我们祖先的潜意识还存在，那我们对祖先进行怀念，本身就是价值。

中华民族为什么能够保持持久生命力，正是因为中国人是讲究祭祖的。其中最为隆重，最为集中，最为普遍的，就是年祭。

所以，对于过大年，我是一个乐观主义者，我想，随着我们对一系列神圣性、祝福性仪规的恢复，中国人的过大年，一定会回到当年的那一种氛围中去。

从这个意义上，我多次呼吁，为了让年味大增，要把春节的假期再延长，要把春晚提前或者推迟一天，把除夕给人们留出来，否则，因为春晚长达四小时的集体走神儿，大年中最美的一段时光，最香甜的一段时光，最神秘的一段时光，最能感受心身交融，天人交融的一段时光，就被冲淡了，破坏了。

春晚是一个巨大的打扰。

古人把除夕叫过夜，正如"过"字一样，人们是一寸一寸地感受时间挪动的。正如守岁的"守"一样，人们是在一寸一寸地守护着时间的。我小的时候体会到的除夕的感觉，就是如此，真是一寸时间一寸金。我在长篇小说《农历》里面写到一个细节：茫茫雪原上，一位穿着大红袄的女子在款款走来，留下了一串香喷喷的脚印，但那脚印，马上就要融化在你的目光里，让你心疼。

为了享受除夕的这个感觉，我们就把守岁前的准备工作，比如贴对联一类拼命地往前赶，好把更多的时间抢出来，来体会那一种一寸一寸进入时间的过程，那种味道，提前一天，推后一天，都无法找到。这，大概就是古人讲的时间意义上的缘分吧。

在中华民族的意象性岁月中，大年大概是最持久最强大

71

的心理暗示。而心理学表明，暗示可以产生巨大生命能量，那些窗花，那些对联，那些年画，那些社戏，那些仪式，等等，都是暗示源。

大年是千百年来天地交融、人神共庆的约定。在这个约定中，我们回到一种类似娘的怀抱的所在。有娘在的地方，就有大年；这个娘，有生身的，也有生心的。

为什么过大年的时候人们要拼命地往回赶呢？在我看来，它不是一个社会学问题，而是一个心理学问题。人的第一需求是回家。我们每一个人都是游子，终归要回家的。一个人再怎么奋斗，再怎么拼搏，最后他一定要面临着一个根本性的问题，那就是返乡，踏上归程。

一生是如此，一年也同样。我们漂泊奋斗了一年之后，必须要经历一次返乡。这是每个人的潜在需要，人人如此。为此，过大年就成了中华民族的集体精神还乡。

事实上，一天也是如此。进入梦乡，说到底也是返乡，梦乡也是乡。

由此，我们再看春节回家潮，带有一定迷狂性一定神秘性的回家潮，不顾一切的回家潮，我们就知道，它是跟人的本质需求相关的。就是说，每一个人都有一个第一需求，那就是，最终我们要回到故乡。

那么，在大年这个时间的轮回港口，我们每一个人事实上是预演了一次返乡，练习了一次返乡。

愿人人都能找到故乡，愿人人都能顺利返乡。

这才是本质意义上的吉祥和如意。

一片荞地

接到电话时，我没有丝毫紧张，我想娘一定会等我的。如果她真要走的话，也会给我打个招呼的。

娘果然等着我。当我站在炕头时，她的眼角流下泪来。

娘已经好几天没有吃东西了，吃下去就吐。前不久，我回去时，她说她奇奇地想吃个化心梨，我却单单没有拿。这次我特意为她买来了化心梨，她却吃不下去了。我想这笔债定是欠下了，永远欠下了。

想不到娘最后的一站路竟是揪心的疼痛。娘的这种疼痛，我只在妻生孩子时领略过，但娘要被动得多。牙关咬得咯吧吧响，眉头上集中了世界上所有的苦难。一而再地往起翻着，但身体已经叛变，死死地不肯配合，一切努力最终都变成大颗大颗虚弱的汗珠。连汗珠都显得那么虚弱，一层一层地，往出渗。最新的止疼药都不起丝毫作用，包括杜冷丁和鸦片。

娘开始绝食。可怜的娘只好以此和疼痛抗争。叫来医生给娘输液，也难以完成。因为娘总是趁人不注意将针头拔掉。娘使劲咬住呻吟，不将痛苦表现出来。枕巾一夜间被撕成碎片，床单被抓成洞。后来，就连撕挖也变成了蠕动。再后来，只从不时紧皱的眉头和抓挖的双手中可见死神在如何一点一点消灭她。娘唯一能够做的就是抓住一片卫生纸，一点一点将它撕碎。娘喃喃着，不知所云，将耳朵贴到最近也不知所云。我只好将想象连根拔出来，猜测娘的需求。试探着将手给她，她就一把抓住。内心里觉得她在使尽全力抓着，我的心也好受些。但她很快又放开，希望破灭的样子，如同一声叹息。揣摩着娘要喝水了，给她水喝，她就咬住壶口不放，一直将一壶水喝尽才肯松口，喉头一鼓一鼓的。揣摩着她的心里烧，给她用酒洗胸口，她就停止了喃喃，似乎连呼吸都停止了，屏息凝神地享受着冰凉的酒带给她的一会儿稍微的轻松。

我拒绝了所有人的侍候，霸占在娘身边。总觉得别人无法摸透娘的心思，侍候不到地方上，其实是怕失去哪怕一次满足娘需要的机会。

我不知道娘当初送我出远门时是一种什么心情，但我这时却充满了矛盾。我既希望我的娘多在几天，不愿让娘的音容成为怀想和追忆，但又不忍心让她继续经受痛苦。每当娘痛得惨不忍睹时，我就祈祷着上苍的宽恕。可是细一想，这时的宽恕，竟是让娘早点上路。因为娘的后路已被封死。但我仍然力主给娘再挂一瓶液体，弄得大夫很不高兴。而挂液体的结果正如大夫所言，是娘痛苦的延续。针头插进去不久，娘又疼得抽搐起来。想不到拯救成了痛苦的再次放大。但我还是坚持挂完这个瓶子。

"天黑了，亮亮还没回来。"

"萌萌不知乖着么。"

我忙叫来儿子，儿子喊了一声奶奶，喊得惊天动地。娘嘴皮动了一下，却流下泪来。惹得我们都抹泪。每次给娘买些东西，让娘存着想吃时吃，娘口头上答应着，但还没等我从房门口出去就喊孙子。娘的眼睛看不见，以为我走远了。我生气地说，娘你真是。娘就笑一下。

娘到如今还没有走出生活，还在为儿孙操心。我们又何曾时时想起娘。总在忙碌之中，总在奔波之中，一年四季在娘身边的日子真是屈指可数。谁都知道娘将她的眼睛交给弟弟带走了。弟弟死于痢疾。娘为了弟弟哭瞎了双眼，我们呢？竟连一点时间都挪不出来！总想等消闲些、富裕些带娘到大医院好好地检查一下身体，等新房子成了，接娘到城里尽一个儿子些微的孝心，总想着娘的走是十分遥远的事情……岂料，她说走就走呢。

当我将妻子第一次领到娘身边时，娘摸着妻的脸说，我的娃给我找了这么乖的一个媳妇。我的鼻子就酸了。如果不摸，娘连妻的高矮都不可能知道，更别说长相。将刚出月的儿子从县上领回家，大门还没进去，娘就早早地喊，快让我看看。我将儿子交给娘，娘做出一副打量的样子，左看看，右看看，说，天下第一美男子，心疼死奶奶了。我的泪就下来了。儿子长得虎头虎脑，聪明伶俐，比他老子体面得多，但娘却只能凭借想象。后来打听到上海有一家医院能做复明手术，就恨不能立即带娘去，却一直没有成行。娘到死也没能知道她的儿媳和孙子的真实模样。

且不说眼睛，如果早一点将娘带到大医院检查一下，娘的胃病也不至于癌变。哥说，娘躺倒的时候，我正在办调动。娘不让他告诉我。娘的病给耽误了。

其实娘是被带走的。娘被押解着。娘并不愿离开。娘一步三回头。娘拼上所有的生命做着抵抗，但无济于事。

只好眼巴巴地看着娘被带走，两手空空地被带走。马达声惊心动魄地响着，车门已经关闭，娘的口已被封上。我只能在站台上将心一点一点变成泪水。尽管我知道泪水不是行李。

妻子要带妹妹上县里复习考试。走时给娘说，娘你歇着，我们走了。娘说，还回来吗？妻子说，你想让我回来吗？娘的眼里就溢出了泪水。

从娘脸上的表情我知道又一次疼痛的浪峰袭来。一生咬着牙关度过的娘竟然主动向我们求援，你们得给我想点办法。我一遍又一遍地祈祷着，但是娘的疼痛却有增无减。持续不断的疼痛让乡亲们开始怀疑善恶因果的朴素天理。谁都知道娘是一个大善人，不想却是这么一个落点。

残酷的命运并没有改变娘的性格，她是多么不甘心。她仍在搏斗，她在奋力往起翻身，但是所有的结果不是恶心，就是晕过去。我们说，你睡着歇着么，挣着干啥。娘说太阳红红的，我睡到啥时候。

一如一盏燃尽了油的灯，娘又转入沉沉昏睡。当一种动态的痛苦一旦转入静态其实更让人受不了。娘就那么一整天一整天地昏睡。面对儿子的呼唤，偶尔答应一声，也像我们小时候她正忙着，叫她，她有一搭没一搭地应一声一样。我不知道娘现在在忙什么。

娘是被她的性格打败的。大冬天也不穿棉裤。以前是没有，后来有了也舍不得穿。将儿媳的炕填得烫热，自己却常常睡冷炕。农业社里挣工分比男人挣得还多。中午累了就睡到地上。有病也不吃药，硬是往过扛。但她最终没有抗过命运。命运好像故意教训她似的让她领略病魔的厉害。

"太滑了。"

"全是冰。"

"天黑了就睡觉。"

守在娘身边的人都被娘的胡话怔住，我却无比地感动。人生果真如此，娘今天才悟透。

接着，娘就转入很深的沉默，居然以一个姿势睡上整整一天，只有游丝似的一些气息和脉跳说明娘还在着。有人说娘是看店去了，有人说娘是办户口去了。但是一个户口就办了这么长的时间？

夜深了，炕上炕下坐了许多人，这儿歪着一个，那儿趴着一个。卷烟弥漫了整个屋子。茶罐不倒。醒着的在说着一些闲话，和娘好的时候一样。娘人好，村里人的闲时光差不多都是在娘屋里度过的。特别是晚上，他们有一搭没一搭地直将话说得带了瞌睡，还是不愿走。娘也不急，总是那么安静地坐着，如同守护着自己的儿女一样。我曾经埋怨娘，费水费烟不说，还让人睡不成觉。娘说，你别嚷，等我死了，人家就不来了。噎得我说不出话。娘病了时发生的事情让我为当年羞愧。这几天，全庄人几乎停了家事，主动给娘取药，帮哥磨面，收拾丧葬一应物什……如同亲儿孙一样，不辞劳苦。

娘居然是被一泡尿胀醒的。居然在努力地往起翻。居然清楚地说，我要尿。我们说，给你衬着卫生纸，你就尿吧。娘说，将床单尿湿了湿洼洼的。我说，外面太阳很红，一会儿就干了。娘仍不尿，仍往起翻。头上的汗就一层一层的，直到晕过去。

80

娘到底还是尿到卫生纸上。给娘换纸时，我想起小时的尿布。人真怪，一辈子原来是转了个圈儿，临末，又回来。

也许娘真已报了到，将疼痛上交了，才能这样安稳地大段大段时间长睡。

深夜，我一个人时，娘就大大地睁了眼睛，定定地瞅着我，法官似的审视着，似乎要将我看穿，让人毛骨悚然；要么就像打量一个久别重逢的故人似的，目光中含着辨认、怀疑和回忆，让人觉得这不是娘的目光，而是谁冷地里打过来的一把刺目的手电，不容躲避地逼迫地照着你，而她却躲在某个角落的深处细细地察看着；一会儿，又觉得所有的娘都到了瞳仁里，要从中走掉似的；突然又眼珠子一个转动将我一下子扔开，定定地看着屋子的某个角落，仿佛那里有两个孩子正在捣蛋，她要过去看看；一会儿，又像什么都没看，如同一只灭了的灯笼，有种近乎残酷的冷漠，好像在说，这一切与我有什么关系呢？让人伤心得想哭。我小心地叫了一声娘，但她没有丝毫反应，如同我叫了一声天，天没有反应一样。我突然觉得有一种陌生横亘在我和娘之间，不知是谁陌生了谁。我记起小时候一次迷了路，突然看着前面走着一个人，追上去叫了一声姑夫，他却没有回应，我又拽一下他的衣角叫了一声，他回过头来，我才发现叫错了人。

也许这才是真正的可怜。人睡着，手却一直在动。撕自己的衣襟，抓床单，一双枯瘦的手在炕上摸过来摸过去。挣扎着往起翻，但只有往起翻的意向，却不能实现，就叹息一声，在身体里边，几乎听不见，似乎隔着一个世界，只有亲生儿子用心才能听得些。

"哎，我没有一钱力。"

"这样睡到啥时候。"

我静静地守候在娘头顶，生怕漏了娘的一个字。也许世界上没有比这更珍贵的了。尽管听到更让人心碎。

突然，娘问，荞花该开了吧？

我说，开了，娘。

娘说，一辈子就开一次？

我说，一年一次。

娘坚持说，不对，是一辈子一次。语气肯定、坚决而又超然，不容辩驳。让人觉得荞花真是一辈子才开一次。

那年，也是这个时候，我和娘在荞地拔野燕麦。看着眼前灯海一样的荞花，我问娘，荞麦是粮食吗？娘说，是啊。我说，我怎么觉得它不是粮食。娘看着我笑笑说，那你说它是啥？我说，它是娘。娘怔了一下，蹲下来，放下手中的燕麦，捧住我的脸一个劲地看。我就在娘的眼睛里看到了一片荞地。

手似乎经历了千山万水，才到嘴边。事实证明她是多么渴。
当我将水壶送到她嘴里时，她一下子咬住不放，刚从沙漠里出来的样子，好像要将整个水壶吞下去。但我又不敢让她喝得太多，她的肚子很胀很胀。

人生最大的痛苦莫过于绝望，而绝望莫过于等死。现在，我们就等着娘死。天很热，我想将她的棉袄脱掉，正是夏天，穿什么棉袄。人们说，那不行，弄不好穿不上了。就这样，夏天的娘竟要提前进入冬季。莫非那个世界永远是冬天？走时带上不行吗？人们笑我不懂事。

我的目光在娘穿着绣花鞋的小脚上停下来。娘的脚除过大拇指其余几个脚趾都被活活折断。娘的一生就在这双小脚上展开。当年，娘就是用这双小脚，往山顶挑粪，种田，到沟里担水，背着我们去看戏，抱着我们去看病，给我们往学校送吃喝……娘啊，当年，你的一双小脚是如何欢快地踢踏着生活，给你的儿子教着站姿、走样，让我们知道了怎样走路才能不摔跤，如何过河才能不湿鞋。娘啊，这些你的儿至今还没有真正学会，你却猝然撒走，你就不怕你的儿有个闪失？

当年你穿着绣花鞋来到这个家里，今天却要穿着绣花鞋离去，娘啊，你到底要到哪里去？

渐渐地，娘就连些微的运动也停止了。手放在哪儿就永远放着，如同置于地上的一截枯枝。也看不出棉袄带给她的急躁，虽然头上一直在往出渗汗。才知道娘已离开了衣服。

这天，娘竟然能吃下去东西。我们乘机灌药，奇怪的是药却一吃下去就吐。老年人说，这是娘在吃她的最后几口禄粮。我忙跑到街上，买娘能吃的小吃。不讲价钱，要多少给多少。也不等对方找钱，拿上东西就走。一个卖牛肉的摊贩听说我是给弥留之际的娘买肉时，又要回割给我的肉，换上另一块，说他刚才卖给我的是驴肉。我的眼里充满了感动的泪水。我不知道他是在尊重娘还是死亡。路上，我不止一次地想起一盅蜂蜜，那是小时候不懂事的我大病中向娘提出的一个愿望。后来我才知道那个愿望是多么奢侈。那时的娘哪里的钱买蜂蜜啊，但是娘还是弄来了一盅儿。蜂蜜是姐给我的。我问娘呢，姐说娘出工了。娘好几天没有回来。后来才知娘去捅马蜂窝被马蜂蜇得面目全非，好不容易才抢救过来。

谁知娘对我买来的东西只那么轻描淡写地尝了一下。

最后娘要了荞面凉粉，我为娘终于能够向她的儿子开口感动不已。这在我的记忆中是没有过的。娘一直在节制之中，只有被动没有主动，只有接受没有要求。娘一生没有为自己向她的儿女提出过一个要求。听见娘要吃凉粉，村里能来的媳妇子都来了。厨房里的空气一下子比战前还紧张，抢挖工事似的。大家都知道，娘的车已经发动，稍一迟延就顾不上吃了。尽管人已多得站不下，有些工序只好在院里完成，但我还是见缝插针，手术室里的护士似的留心配合一切细节，力争最大限度地提高效率和质量。

想不到娘竟像好时吃了一碗，吃得无比庄严无比高贵无比悠闲，如同阳光舔着我心中久积的雪花。

然后，娘让我给她梳头、洗脸。完毕，又要过镜子，极认真地打量着自己。左看看，右看看，好像那双眼睛根本就没有失明。我想，娘出嫁的那天一定也是这样打量着自己。

娘要动身了。

我们就手忙脚乱地给娘穿衣服。娘眼睛巨大地睁着，打量着我们，似乎对我们的举动不可思议。有时配合一下，好像不忍心让我们累着。一如一个扯闲的人见你正忙着，就边扯闲边漫不经心地帮你一把。

我是在给娘系大襟上的一个纽扣时忍不住哭了的。我怕被哥看见，忙背过脸。我想起小时候娘给我穿衣服时的情景。我要要打打的，总不好好穿，直到娘举起巴掌，才配合一下。想不到今天我却给娘穿衣服。那时娘给我穿衣服时常说，快穿，穿好了下去耍去，院里太阳红红的。今天，院里太阳仍然红红的，但娘却再也无法走下炕。而且仅此一次，穿上就再不脱。娘啊，今后，您的衣服该由谁来穿呢？又是怎么个穿法呢？您的院里是否也有红红的太阳在照着？

不知为何，这时，我觉得穿着红棉袄红鞋的娘与死无关，倒像一个待嫁的新娘。

早上还晴晴的，下午却下起雨来。这时的娘好像知道了她要走似的，神情中一副等待的样子，不时看看房门，好像在说，这雨还不停。

突然，娘说，再让我吃一口凉粉唛。语气纯粹是一个向大人讨要的小孩。我忙喂了一口凉粉，娘安闲地吃着，脸上漾着淡淡的欢欣。

突然，娘暂停了咀嚼，说，丑子来了。我们都以为娘在说胡话，不料没过多久，丑子大姐真的从门里进来。

只一口。再喂时，娘就睡着了。

娘一步比一步紧地走着，像生着气，又带着逃离的欢欣，我追不上，只听见她说，是，我听你的。路遇一神算，打卦，卦辞曰：禄粮尽。我一急，惊醒，摸娘的手时，已凉了。哥已将地上的桌子挪到院里去，在地上洒了水。我知道我的娘将要离开烟火了。

但娘又回过气来，庄里人不忍目睹娘停留在阴阳交界的样子。一个远重孙大声喊，太太，有啥说的你说，说了去！但娘固执地不走，什么话也不说，脉一阵有一阵无。

雨出奇地大了起来。我想象不出娘的一双小脚该怎么走。心里说，娘你要走就等到雨小了走吧。但娘并没有等到雨小，可见娘的路与雨水无关。

但娘最终暴露了她的留恋和牵挂，走了好几次都没有走起身。

86

接下来我就听见娘在一种杂沓的声音中。那种声音告诉我，娘在拼命地奔跑，身后是千万追兵。我的泪水又来了。沿着泪水，我看见二十年前的我绕着表姐家的院子拼命奔跑，身后是气得不成样子的娘，娘在叫我回去上学，我说学有什么上头啊，还不如和表姐玩有意思。但是我最终被娘带走。我抹着泪一步三回头地走着，娘说，等到过年我再带你来和姐姐玩。娘啊，现在，你又是被谁追赶呢？过年，我站在老家的大门口，是否能够等到你回来？一如小时候，你站在大门口手搭在额头上望着我回来一样。

蓦地，娘体内风一样的声音像被什么砍断。我清晰地看见，娘愣了一下神。

妹妹就从门里走进来。

我就看见娘搭在额头的手放了下来。

雨是随着娘咽完最后一口气停的。娘被人们从炕上挪到地上，脸被白纸苦着。这时，我竟没有丝毫的悲痛。我在专心地给娘正相、凉尸、守丧，为的是让娘体体面面干干练练地上路。

一庄人自觉地忙乱着。木匠叮叮当当地做着寿木，厨子吵吵嚷嚷地煎着献饭，阴阳写着领魂幡，香佬杀着引路鸡……

总觉得娘在某个地方藏着，总觉得娘会趁我不注意站在我身后，如同小时候娘找我吃饭我却藏在门背后或房梁上，等娘找不见又要出去找时，我却端着娘放在桌子上的饭跟在娘身后，做着鬼脸一口一口地吃。

但是几个时辰过去了，却不见娘从什么地方闪出来，才知娘是真的出门了，不在家了。

不久就有人来吊丧。献馍馍摆了一桌子，却不见娘动一指头。纸钱烧了又烧，也不见娘动一指头。姐成天地哭丧，嗓子都哭哑了。人真怪，来时自己哭，走时别人哭，两头都是哭，中间呢？

夜深了，人们一一散去。我跪在娘的身边守着娘，不顾犯忌，不时取开苦脸纸看看娘。这时的娘是那么安详，大海一样睡着，在痛苦之外，在感情之外。

凉尸用的是井水，里面泡了砖，砖轮换着置于娘的两肋间。心口上用荞面圈了一个圈，里面倒着白酒。我和哥不停地添着酒，换着砖。小时候，发高烧时，娘也是这么给我降体温。等我从昏迷中醒来，娘的脸上挂满了泪水。我的心里是多么甜啊。流着泪的娘是多么好看啊。娘啊，现在已经几个时辰过去，你怎么还不醒来，看看儿子脸上的泪水。

躺在地上的娘以无言面对世人，正是这种无言受到了人们的格外尊敬。娘一下子拥有了香火，不再用筷子吃饭，不再用勺子喝粥，变得神秘莫测起来，不再喝鸡喊狗，不再呻吟，不再看世界，不再为哭声所动。娘是真正地成熟了。

突然，我有种被什么欺骗了的感觉。

天黑了，大伙让我去睡，我不肯。娘明天就要赶路，娘在这个屋里的时间仅有一个晚上，我不愿将这个晚上交给瞌睡。我小心地给娘赶着苍蝇。提醒打盹的姐不要压了娘的腿，娘有严重的关节炎。将油灯挑得很亮，娘的眼睛看不见。后来，我让哥和姐都睡去，说不清这是不是一种自私，我想和娘单独坐坐，聊聊。这样的机会再也没有了。

当偌大的上房里只剩下我和娘时，我觉得我一下子越过了生死关界，恍惚中看见娘在时间中穿梭如织。我关了房门，想通过这个动作提醒娘留心一下她身边的儿子。

果然，娘突然翻起身来，说，一觉咋睡了这么长。娘拍打着身上的草屑，说，放着炕不睡，睡在地上做啥。娘一把推掉身上的砖，说，还没压够么……不由伸手摸摸娘的心口，心口是那么冰凉；看看苦脸纸，苦脸纸一动不动。才知道娘是再也回不来了，一切都是妄想。

悄悄地叫声娘，娘。但是娘却无动于衷。小时候，自己重疾气绝，娘抱着一直叫，叫了整整一个时辰，竟将一个被大夫判了死刑的儿子叫了回来。父亲说等我睁开眼睛，娘的嗓子已经哑了。娘啊，现在你的儿同样哭哑了嗓子，你怎么就不醒来？那时，累了一天的你不也睡着了么，但是你的儿子哪怕是说个梦话，你也会惊醒。现在你怎么就这么无动于衷呢？

快起快起，迟到了……娘啊，这不是你在叫儿起来上学吗？那时家里没有钟，你就是一挂钟啊。有一次真的要迟到了，我耍了脾气不去学校，你哄我哄着哄着就晕倒了。但是你很快就醒过来，自己掐着自己的人中说，快去快去，迟到就迟到，你就说娘没有叫你。现在，你就不能也迟到一次吗？

坏蛋，差点将娘吓死了……娘啊，你是否还记得那次，你从地里回来，我躺在炕上"已咽了气"。你吓得直叫我的名字，我也"活"不过来，你的眼泪就出来了。我就哇的一声抱了你的脖子。你就将我一顿好打。打完，说，坏蛋，差点将娘吓死了。现在，你怎么就不吓一下你的儿子呢？

娘啊，如果有缘，我们再做一次母子。

就这么相守着。母子二人。在草铺里。如同一对羁旅的游子。娘啊，我们这是在哪一站呢？到底走了多少路，你咋就这么累呢？

娘就躺在我面前，我却觉得无比遥远。仅仅一口气就将我们隔得这么遥远。

娘是真的走了？那么眼前躺的又是谁呢？没走么，又为啥叫不喘呢？叫不喘的娘还是娘吗？

天快亮时，哥来了。他让我去睡。我说，坐着吧。哥说，我听见娘在喊我起来套牛去。我说你是被娘叫惯了。灶上端来一碗饭，我吃不下去。我的娘已经一天没吃东西了。她就不饿吗？我让哥吃，哥也不吃，哥在一根一根地抽烟。

院子里渐渐热闹起来，有说有笑的。我才知一个人的死对这个世界是多么无足轻重。曾经给别人送过葬，也觉得不过是将一个人埋进土里去，并未如此的伤心和牵挂。这时才发现，儿子的脐带压根就没剪断过，扯心啊。当初，儿从娘肚里走出来；现在，娘要从儿心里走出去。

按照风俗，每当亲戚来祭奠时，孝子都要哭的。第一批亲戚来时，姐就大放悲声。我却哭不出来。不料学姐叫了一声"娘啊"，泪就像早等着似的涌出来，伤心就如一个滚下山的碌碡，收也收不住。原来，娘就是伤心，就是泪啊。娘啊，我小时候，什么时候脸上有泪水，什么时候就有你的一双大手伸过来。现在，泪水就要将儿的心扯走，怎么就不见你的手伸过来？

殓棺的时刻终于到来。人们紧张地将娘抬进棺材，恐怕误了车似的；紧张地用麦草和白纸将娘卡死，可见娘的路一定很颠簸；不许人们互相叫名字，好像娘一下子就要叛变。娘被紧紧地卡死在棺材里，永远地仰面朝天，想翻个身都不能了。人们只听阴阳先生的，连征求一下我的意见都没有。她是我的娘，你们怎么说打发就打发呢？说啥时间起身就起身呢？

按照习俗，最后的一次洗脸应该由长子完成。这让我觉得长子很幸福。人们一再催着，哥却洗得十分仔细，直到众人怒气冲冲，他也没发觉似的。这让我很感动。娘的包头已经松动，哥又仔细地绾好；娘的几根白发露在外面，哥又小心地把它归整到包头里。我知道哥当时的心情。我的泪水从未这么多过，以至最终掉到娘身上。

泪眼中的娘被一股仙气笼罩着，我十分挑剔地让人们将娘的脚再搬搬正，将娘的衣服再扯扯直。我想起第一次出远门，要到城里去上学，娘就是这样给我扯着衣襟，正着衣领；我想起我相亲的那天，娘也是一边给我扯着衣角，一边让我将头理理，不要让人家嫌弃。现在，我的娘要出平生最远的一次门，我也要让她体体面面地上路，同样不要让人家嫌弃。

好心的庄里人第一次给娘用了"八抬"。花花绿绿的纸火，穿着雪白孝衫的孝子，被几丈长的纱布做成的"纤"连成长长的送葬队伍，十步一小驻，百步一大歇。响器班吹吹打打，纸钱纷纷扬扬。整个气氛显示着隆重和热烈。娘坐在她的"船"里，被一庄人和四方亲戚邻人以及专门为娘请了半天假的学生送着，从未有过地风光。我和哥走在棺材前面，极力压着速度，尽量让娘走稳些，我知道，娘的腿疼，眼睛看不见，而路上刚下过雨。

坟院不可抵挡地到来。感觉不是我们走向它，而是它走向我们。

当众人将娘吊下那个比棺材宽不了多少的深坑里去时，我觉得无法忍受，觉得拖着棺材的不是绳子，而是我的肠子。小时候，不小心丢了大门上的钥匙，娘就是这样用绳子把自己吊进院子去开门。娘啊，如今，你又是去给谁开门？

吊到地坑的棺材被正棺师推进一个和棺材等身的狭小的窑里。

窑里点着长明灯，丫鬟一样，早等着娘到来似的。我的心里升起许多温暖，许多感激，还有一丝嫉妒。

正当阴阳先生打开针盘时，天上挂了两天的云帐像是被谁拨了一把似的豁然开朗，一束阳光射进墓坑，洒在磨得光滑无比的针盘和半面棺材上，让墓坑里的一切显得无比富丽堂皇，充盈着一种明媚的神秘气息。阴阳先生说，老太太好积修，这是天照路。

哥和阴阳先生看着针盘给娘正相，如同一个行人在看地图和列车表。

据说这种情况极难遇到，于是人们再次谈到娘的好积修。既像在致悼词，又像在开总结会。谈论娘自从进了郭家的门是如何地上敬老下爱小，啥事都做到婆婆的心坎上，如何挣下一个好名声，如何的一副菩萨心肠，就是在最困难的时候也不忘周济揭不开锅的人，就在腿疼得动弹不了时还给村里几个单身媳妇子带孩子，一手抱着自己的孙子，一手抱着别人家的孙子。因而卧病时一直吃不下去，临终却想吃啥就吃啥；肚子胀得那么大，临终却瘪了；六月天尸凉得那么好；停丧时间也短，也能进老坟；天上浓云滚滚却没有雷声；雨正好在咽气时停了；天气预报都不灵了……我愿意附和乡亲们的说法，甚至在第二天天上响起雷声时，干脆认同了他们的说法。咽气之前是大雨，埋完之后是雷声，苦命的娘真有这么大的道行？这样说来，活着时的那点疼痛就不算什么了？难道人的一生就是为死做个准备，为写这一终极意义的总结准备一个体面的材料？

跟着哥给娘身上苦上一把土，我不知道这把土是太轻还是太重。接着，众人就齐心协力地往墓坑填土。

最后，人们用一个馒头似的土包将娘标志出来，不知为何，我却觉得那是娘的一个乳房。我一下子扑到这个土腥味的"乳房"上，将娘曾给予我的乳汁变成泪水。

娘啊，你用你的身子将你的儿子带到这个世界上来，临完儿子却只能还你一把黄土。

娘啊，你用你的乳汁将儿养大成人，到头来儿子却只能还你一把泪水。

娘啊，难道你就这么撒手而去？难道你就没有看见儿的泪水它不罢休，它在拼命追赶你？

才知道什么是真正的绝望。我唯一能做的就是流泪。

娘啊，儿只能用一把泪送你上路！

娘啊，儿只能用一把泪给你做行李！

娘啊，您走好！

人们拉我起来，但泪水已长了根。直到一位堂兄生气地说，快回去给大家磕头。

记不得我是如何走回家的。第一次真正体会到了离别的味道。那是一段铅做的道路，一段拖不动的脚步。从前口口声声说离别离别，原来都是假的。

院墙下立满了沾着黄土的铁锹，就是它们刚刚把娘埋葬，我不知道应该感谢它们还是仇恨它们。大家噼噼啪啪地拍打着身上的黄土，动作里带着收工的欢畅和轻松。一院的人在说"入土为安"。

我的心里又是一阵恓惶，好一个"入土为安"！

我想起一位朋友说过的一句话，"人吃黄土一辈子，黄土吃人一口。"

太阳落山时，我和哥去给娘打灯笼。往坟地走时，我蓦然觉得那不是坟地，而是一个家，仿佛能够看见娘就在那里忙着，叮叮当当地，等着我们回去。

原来，我们是有两个家的。

将灯笼挂在坟上。我给哥说，坐一会儿吧。哥说，坐一会儿吧。

两人都未说话，任暮色一层层落下来。

一家家的炊烟次第升起来，却没有娘那一柱。一家家的灯火次第亮起来，却没有娘那一盏。

我的泪又来了。

突然，哥说，这块地是留下种荞的。

永远的堡子

　　至今没有写成一篇关于母亲的文章。这并不是因为我的疏懒，而是因为一个堡子，一个我从中长大，可是至今仍然难以进入的堡子。

　　三十年前的一天，祖母撒手人寰。她老人家辛苦一生给父亲留下了两样东西：一样是一个具有法律意义的大堡子，一样是一句具有职称意义的遗嘱。临终时她将父亲和母亲叫到炕头说，好生待你兄嫂，就咽了气。祖母之所以要以此为嘱，除过伯父较之父亲有点老实外，更重要的是伯母不生育。

　　一个堡子难坐两家人，按照常理，分家是难免的。然而事实却大大走向人们的意料之外。到了我能记事时，"堡子里"已经成为一个传奇式的家庭话题，一个稀罕的伦理现象，从而具有了传颂的意义。以至母亲偶尔去一趟街上，人们都要争相观看。为此每当人们提到"堡子里"时，我的脸上就像将军的后代听到人们谈论将军的赫赫战功似的大放光芒。

　　可是随着我年龄的增长，这种光芒却渐渐变成一种揪心而又难以言说的滋味。

在"堡子里"的故事中，母亲是一个关键性人物。

母亲不知书却达理，她待伯母一直如古式的儿媳待婆婆。她为自己编排了一套行为规范，事实上也就编排了她的一生。

伯母每天早起时都有一声习惯性的干咳，而母亲在这声干咳前已经干完了掏灶灰、扫院、挑水、垫牛圈等一应事务。大概是伯母感到这样有点不妥，一再将干咳的时间提前，但是总也赶不到母亲的前边去，就说，以后灶灰放下我来掏，院让我来扫……母亲说，我是大脚么。母亲显然将此作为一种礼仪贯彻着，几十年如一日，即便在大病之中也要挣扎着起来干完这些再回屋躺下，几次都晕倒在院里。

每次做饭前，母亲总要去问伯母，嫂子，这顿做啥？伯母常常就生气说，你想做啥就做嘛，问啥着呢。但下顿母亲还是要问，嫂子，这顿做啥？可见请示已成了她的习惯。从后来母亲帮妻子带孩子，做饭时闹出的笑话，我们可以知道她老人家将这种习惯强化到何种程度。一天，妻子正在上课，母亲推开门问，把土豆切成丝还是块？惹得学生大哗。做好饭，如果伯父和伯母不在，她就不让其他人动筷子。中午，眼看上学时间已到，我们急得直哭，母亲却压死阵脚不从锅里往出舀饭，因为伯父和伯母还没有回来。我们就抹着泪空着肚子去上学。一个夏天，伯母因为一件事耍了脾气不吃饭，一锅饭就馊在锅里。

我们外出买些衣物回来，她总要说，给你娘，给你娘，

97

我能行。所以即便是最困难的时候，伯父伯母还有两件新衣服，而她和父亲则一直穿着我们的退役货。偶尔有些好吃的，她也是先给伯父伯母送去，而伯父伯母也大多是尝一下就给了我们，但是这个程序却历来一丝不苟。

伯母是一双小脚，隔一段时间就要像给伤员换药似的拆洗一次裹脚。每当拆裹脚时，我们总是捂了鼻子躲开，因为那种气味实在太逼人。但是伯母后半生的这个工作却全由母亲承担了下来，而且做得让人看起来是那么富有诗意。剥呀剥，剥了再洗，洗了再剪，眉头也不皱一下。也正因为伯母是小脚，所以家里家外的重活母亲都包在身上。我真担心，这样整天超负荷高速旋转的母亲，说不定在什么时候会突然熄火，或者爆炸。

毕竟是人，这么长的岁月里，说她们之间完全没有摩擦是不真实的，但是要想找出她们之间的一点具体纠葛还真不容易。显然，她们即使有过摩擦也是对晚辈严密封锁的，对外就更不用说了。有一次她们的口舌相对公开化，可怜母亲在没有丝毫防备的情况下被父亲一顿铁尺差点打断了脚踝骨。没想到母亲却对此守口如瓶，隔壁就是她的娘家，她也没有去诉一下冤屈，只是躺在炕上"害了半年病"。亲戚邻人来看，也不知道事情真相。

现在想来，如果分开过，无疑对大家都有好处，特别对母亲是一个巨大的解放。但他们几十年一直将分家作为一个大忌小心翼翼地回避着，就连曾经有过的几次堂皇的分家机会他们也都坚决放弃了。一次是乡上养老院建成，条件十分优越，让许多非"五保"老人眼馋，但当队长动员伯父和伯母时，平时老实巴交的伯父措辞却极其犀利：是人家两口子待我们不好呢，还是儿女们对我们不孝顺，要到那个地方去？噎得队长说不出话。一次是我工作后，让伯父伯母随我住进城里，但他们却执意不去。由于"堡子"的缘故，我们成了队里成分最高的人家，为此受到当时高成分人家通常的待遇，口粮也就常常接不上。一个很冷很冷的冬天，伯母背上背篓出门讨要，被母亲夺下。事情坏就坏在她夺下背篓时说的一句话，要也轮不到你要。惹得伯母生了平生最大的一次气。她当即哭着进了屋子，关上房门。母亲意识到是自己说岔话了，就忙敲伯母的门，嫂子，你别往心上去，我的意思是说我是大脚。两天后，感冒发着高烧又被狗咬得遍体鳞伤的母亲回来，没有坐下喝上一口热水，却被父亲兜头就是一顿拳脚。同样，她仍然十分平静地接受了父亲的毒打，没有丝毫反抗。而且等父亲停下拳脚就奔向伯母屋里给伯母再次下话。这件事将我们都搞懵了，后来才知是伯母从母亲的话中听出了生分：为什么不能轮到我去要，不就因为娃娃不是我的吗？母亲就晕过去了。保健员说狗咬伤最忌生气，况且她正重感冒。伯母就伏在母亲的身上哭了起来。谁料就在第二天做午饭时，母亲竟又颤巍巍地站在伯母的门口，问，嫂子，这顿做啥？

就是在这样困难的时候，父母也忌讳接受针对伯父伯母的任何照顾性项目。大哥好不容易为伯父申请来一笔"五保"津贴，却惹得父亲发了一通火，你们有本事就自己挣钱孝敬老人……

后来，嫂子进门，这给母亲带来了从未有过的困惑，到底该以如何姿态出现？是当婆婆呢还是继续当她的弟媳？最终，她选择了后者。这让不知内情的人一直搞不清她们婆媳妯娌之间的关系，几次陌生人到家里都闹出了笑话。更重要的是，母亲的选择给"堡子里"的运转造成难释的尴尬。所以在我结婚后，族人召开"堡子会议"，让父亲指定伯父的继嗣人分开过，但父母却坚决不肯。这多少让一些人怀疑父母在继嗣问题上的态度。

1994年，伯母的人生列车开到最后一站。在她咽气的前三天，母亲为她洗最后一次脚。这个工作完全可以由儿媳和女儿来完成，但是她执意不让。伯母咽气有过一个长达半天的滞留徘徊。这一阶段母亲正在厨房里忙活。突然，她像记起什么似的一边在护巾上擦手，一边跑过去站在伯母头顶，拉着伯母的手叫了一声嫂子。不想很久不能动弹的伯母竟动了动手指，然后咽了气。也许她要向母亲表达的太多太多了，以至平时任何一个场合任何一种方式都难以容纳，最后她选择了永别这一时刻。这真是一种极致的言简意赅。

接着，一个门扇将父母的道德水准送达别人永远无法企及的高度，也翻开了他们对待兄嫂暨祖母遗言实质性的一页，让人们心里一直悬着的一个惊叹落到实处。

老人去世后的出门告是农村继嗣关系的核心一环，谁是谁永久的儿子，就确立在那一页贴在立在大门外门板上的白纸上。我的身下曾有一个弟弟，据说是指给伯父伯母的，但老天却像存心要创造一个人伦道德的险峰让父母攀越似的将他带走了。儿女中有继嗣权的男性就剩下哥哥和我，伯父伯母去世后必须要有一个续"香火"的人。可以说，这在农村是一个高于活着本身的重大习俗。多少人英明一世却因为在这个问题上留下败笔而被人唾骂。阴阳先生在写门告时问写哥还是我。可是我们两个感情上都无法接受因此被截然分开。写哥，那么我就不是伯父伯母的儿子；写我，那么哥就不是伯父伯母的儿子。总之，这是一种排斥关系，而排斥是一种生分，我们被温情的"堡子"孵化的心灵拒绝这种生分的寒风陡然刮过。

说起来大概人们有点难以相信，我十几岁了还不知道到底谁是我的亲生父母。通常我是管伯父伯母叫"爹""娘"，管父母叫"大""妈"的，并且觉得"爹""娘"要比"大""妈"亲得多。因为他们总是和优待有关，和救护有关，往往是他们将我们从父母的鞭笞中搭救出来。所以，我们弟兄差不多是在伯父伯母怀里睡大的。及至到了三弟，伯母的母性简直达到极致，三弟没有满月时更多时间就在伯母怀里……

事情进入僵局。这时母亲提议将我们二人都写上。阴阳先生说，自古以来没有这么做的。母亲说，等我死了你也将他们两个都写上不就行了。阴阳先生说，那不行。你没有看过《包公断子》一戏吗？到阴间你们两个争儿子怎么办？不料一向"迷信"的母亲却说，活着时都没有争，死了还争个啥，就这么办吧。于是就有了这个旷古奇闻，一个一生没有生养的女人却拥有两个具有"法定"意义的儿子，我们兄弟就有了两对超血缘意义上的父母。阴阳先生含泪写上了我们弟兄的名字，办理丧事的亲邻莫不唏嘘垂泪感慨万千。

办理完丧事，母亲让我在家里多住些日子，给伯父做个伴儿。伯母活着的时候，晚上睡觉时，母亲严格地将儿孙等分到她和伯母之间。现在，伯父的衣食住一应由她料理，这并不是说嫂子不愿做，是母亲想做完自己最后的一件活。每逢伯母的祭日，即使自己住院也绝不通知我们的母亲，总要捎话带信地将我们叫回，并叮嘱买上伯母生前喜欢吃的东西做祭物。一回去，她就嚷着让我们早点将伯父的棺木准备好，有可能的话将伯父带到城里去看看。

布底鞋

月光从淡蓝色的纱窗里照进来，小屋子便如一个缥缈的梦。梦中，这声音便有一种邈远而又旷古的味道，似乎它并不出自母亲的双手，而是来自遥遥上古、茫茫天外。

儿子和妻已睡熟了。我翻完一本杂志的最后一页，拉了灯，准备休息，却听见母亲还在外屋刺儿刺儿地纳鞋底，仿佛被什么击了一下似的，我呆坐在凳上……

这声音太熟悉了，熟悉得有点陌生。

当我还在母亲腹中时，就听到了这种声音。那时，母亲给我纳着第一双鞋底。之后，便有了第二双，第三双……

鞋底一年比一年宽肥，声音一双比一双浊重，母亲手上磨起的老茧也一年比一年粗厚。母亲就那样不停地纳着，纳了一双又一双，纳进她的期冀，纳进她的慈爱。我也就在这亲切的声音里拔节。多少次，当我惊醒时，那摇篮曲似的刺儿刺儿的声音仍在响着，母亲还在穿针引线，或借一盏荧荧油灯，或借一月脉脉清辉。

以后，我上学了，每晚，母亲在操劳完家务后，就坐在读书或写字的我的身边纳起来。不时看看我，将满心的希冀纳成慈祥而又温暖的歌，纳成一条清凉而又温柔的溪流，承载着我，鼓励着我，给我意志，给我力量，洗去不时向我袭来的倦意，抚平不时向我挑衅的浮躁。

那时，我才懂得，真正的监督和鼓励是无声的。

有一年，母亲上山打柴时，摔了一跤，右手被镰刀割伤了。看着连筷子都拿不成的母亲，我的心里很难过。不单单是因为疼母亲，还意味着我将要光着脚板上学了。当时，我脚上的鞋已经藏不住大拇指了，母亲正在给我赶做一双新的布底鞋。

庄户人的活计是一天也不能停的。放学后，我必须接替母亲上山打柴，而脚上的鞋是再也不敢穿了。因为它已经经不起上一次山了。明天，我还要穿着它去上学。小的时候，穷得做不起鞋，光着脚板上学没什么，而眼下我已经是四年级了，四年级了还光着脚板同学们会笑的。

于是，我只好光着脚板上山打柴，于是，恶毒的刺就故意和我作对似的一根接一根扎进我的脚板。我疼得哇哇直叫，回到家里，母亲流着泪给我用针挑刺。

第二天，我醒来时，眼前放着一双新鞋。可以穿新鞋上学了！我高兴得不知说什么好，拿起来就要试穿，却怔住了，那白色的鞋底上沾满了鲜血，触目惊心。

泪就来了。

那一天上课，我第一次改掉了做小动作的坏毛病，听得格外认真。

我是穿着母亲做的布鞋走完人生第一程的。

那年，我怀着万分喜悦的心情，穿着母亲新做的布底鞋踏进师范的大门，但是，没过多久，我就和布底鞋告别了。

当我怀着复杂的心情，脱下那双母亲熬了几个通宵赶出来，料最好、工最细的毛边布底鞋，换上一双新买的运动鞋时，我的脑海里冒出一个词：叛变。

夜，很深了。月光从窗外照进来，小屋子便如一个缥缈的梦。如同当年在月下入迷地倾听母亲娓娓讲述远古的传说似的，我静听着这亲切的刺儿刺儿的声音，带着母亲的乳香，溪流般在深夜里流淌。流淌出一段甜蜜而又苦涩的记忆，冲刷着我被岁月尘封了的心。

当年母亲点灯熬夜，用心用血纳鞋底是为了生活，想不到今天也是为了生活。

下了班，匆匆吃完饭后，妻子争分夺秒地教儿子识字，而我纯粹用小说打发时光，母亲一人坐在外屋里，孤单单地，多寂寞呀！

不纳鞋底再干什么呢？纳鞋底成了母亲排遣寂寞的一种方式。我知道，只要这刺儿刺儿的声音响起，她老人家就会看见她的儿女们一串歪歪斜斜的脚印、歪歪斜斜的故事，她的心里也就充满了儿女们跌跌打打的欢声笑语，就不再寂寞，不再孤独。

我开门出去，走近在灯下弯成一张弓的母亲身边，问，妈，给谁纳呢？

纳成了再说。母亲一边用牙咬住穿在鞋底中的大针，使劲往外拽，一边说。

我能穿吗？

母亲抬起头来，非常意外地看着我。

时间简史

没有等汽笛响起，我就匆匆离开车站。及至从车站出来，我才发现这种匆忙是一种逃避，逃避一种深不可及的疼痛，一种由儿子亲手制造的疼痛。

车很挤，座位都属于成人。但儿子今天必须赶这趟车，因此儿子必须往成人里挤，于是就只好站着。

没等安排好儿子的座位，售票员已厉声赶我下车。我匆匆地向儿子招了招手。儿子也停下寻找自己位子的努力向我挥了挥手。可见他还是看重这种分别的方式的。

要说儿子挥动的小手并没有在我心中掀动多大的风暴，让人受不了的是他的眼神，简直是一团积雨云。

我站在站台上，看着载着儿子幽怨的车徐徐开走，伤心的眼泪就不由落下来。我知道，这趟车的意义不单是将儿子载回家。

儿子走得无比扯心。午休的时候，儿子说，爸爸，以后中午睡觉我再不吵你了行吗？我说行。那你就让我再玩几天。我说你明天要上学了。儿子就背过脸去，生我的气。过了会儿，儿子又转过脸来说，爸爸，我以后每天将日记写好行吗？我说行。那你就让我再玩几天。我说你明天要上学了。儿子就又背过脸去，生我的气。儿子一中午没睡着。

　　眼看发车的时间已到，儿子却迟迟不肯动身。妻和我轮番做着动员工作：明天你就背上书包去上学了，多神气。儿子不语。

　　出去爸爸给你买许多好东西。儿子仍不语。

　　你说你要当三好学生呢，迟到了就当不上了。儿子仍不语。

　　最后，儿子看见我们都有点生气，就慢腾腾地起身，无精打采地擦了把脸，有气无力地喝了杯水，将两个胳膊套进双背带书包，率先走出屋子。书包里装满了书籍、礼物，有点沉。为了保持平衡，儿子将小身体往前倾着，一副负重而行的样子。

　　我们原以为儿子是走向大门，不料他却向另一个方向走去。我们忙说，大山，你走错路了。儿子却像没听见似的头也不回地径直朝前走，然后到了新认的表姐四霞家门前，敲了敲门，里边没有人应，又敲了敲门，里边仍没人应。儿子就试图爬上窗台，但最终没能成功，就又回到门前，站了会儿，说，四霞姐，我走了。然后，低着头向我们走来。四霞是我一位同事的小女儿，比儿子大许多，却能和儿子玩在一起。儿子来单位的这些日子里，整天和四霞在一起玩，差不多吃住都在四霞家里，晚上也不回来。

　　一次我和妻带儿子出去买了个大葵花头。儿子不让我和妻吃，一直抱到家里，直到他去敲四霞的门时，我们才知他的心思。不料那晚四霞正好没在。我说，葵花是爸爸买的，咱们和妈妈三人应该一人一份才对。儿子想了想，就分成三份，给我和妻一人一份，给自己留了一份却不吃，蹲在外面门台上等四霞姐回来。

我们为一种变化震惊。平时买上一包东西，还没等从售货员手里接过来就已开封，而今天他却如此坚守，不知需要多么深厚的感情作支持。

儿子一直等到四霞回来，然后喜不自禁地抱了葵花，去和四霞姐姐睡。出门时回头看了我们一眼，似乎在向我们道歉。

和四霞在一起，儿子将在家里必须由妻督促做的事情做得自觉而又妥帖，并且新上了许多连我们都没想起的项目。每天早早地起来煞有介事地洒扫房子，然后正襟危坐着背唐诗，再写日记，再做手工。我给妻说，知道什么是教育了吗？

我们竟将这一点给忽视了，忽视了儿子无言的背后是对四霞姐姐的依恋。真想退掉车票让儿子再玩一天。但是明天仍要分手，因为他要和所有的人一样，进入人的成长程序，去上学。

自愿的要放弃，不自愿的却要投入，而且非投入不可，这就是人生！

在往车站走的途中，儿子一语不发，从前面走到后头，不时回一下头，但直到上车，四霞仍没有来。

汽车从我眼前开过，我站在车站门外的台阶上，看见车上的儿子仍然向我们单位方向望着，泪水就不由落下来。

　　余下的时间就被伤心浸透。坐在办公室里，我想象着此刻的儿子坐在班车上，穿行在时间里，穿行在思念里，穿行在伤心里……想象着他背上的那个有点沉重的书包，心想，儿子的童年结束了，明天早上，他将走进校门。

　　儿子的童年的确是结束了。不管你愿意也罢，不愿意也罢。

　　无奈，作为人生的基调，一开始就涂在每个人的底色上。

儿子如书

一

把一篇稿子赶完，妻已经睡了。就到儿子房里，站在他身后，看他做作业。儿子始终不理睬我，但我仍站着。时间一长，儿子终于耐不住，回过头来，说，你没事干啊？没事干睡觉去！说得我后背一凉，又好笑。这话怎么这样熟悉啊。想想，是当年自己正写东西，儿子进来捣蛋时给他说的话。不想今天弹了回来，落到自己身上。

只是这个球是从哪里弹回来的呢？

遂讪讪地离去，又忍不住在儿子脸上亲了一下，儿子躲避着，心思还在题上。

不免怅然。

二

儿子这两天咳嗽得厉害，我和妻劝他早点休息，但他坚持十二点才上床，上床之后还要在被筒里看一会儿书。我说，知道为什么感冒吗？就是因为你的休息时间不够，免疫力下降的缘故。儿子仍然不听。今天放学回来，咳得更加厉害。眼见体力不支，趴在桌上写作业，我和妻让他休息，他仍不肯。我说，明天不去了。他说，没有请假。我到电话旁边，要给班主任打电话请假。他扑过来夺掉电话。我说，那好，那就早点吃药，上床休息。他躺了会儿，又起来写作业，持续的咳嗽让人心疼。我说，明天不去学校了，到医院检查。他说，好，你们出去吧，先让我把作业写完。

十点半时，他自己关灯睡了。

早上，我迷糊中听到屋外有响动，忙下床，不想到儿子被窝一看，人已不在。

三

铃响了，儿子仍无动静，知道他坚持不住了，就没有叫醒他。平时中午睡半个小时，一点半准时起来去学校。两点半时，他起来洗脸，要去学校。我说，欲速则不达，先将病看好再说。他说，下午还有一节化学。我说，没关系，谁都要生病的，谁都要耽误课的。他又说，那书包还在学校。我说，我替你去拿。他说，没有请假。我说，我已经请过了。他说，别骗人,我们马老师刚换的手机。我就认账地向他问了号码,给他请了假。

去医院时,我要他穿上大衣,他不。我要打的,他也不,一副钢铁男儿的样子。天特别冷,我就解下自己防寒衣上的帽子,硬给他戴上,他再没有反对,但也没有配合。

验血,拍片,都是一副小事一桩的表情。

四

睡觉前,儿子洗了脸,然后对着镜子用手挤脸上的青春痘。我说,你这样把你们班上女生心疼坏了吧。儿子说,那当然,一下课,全班女生都过来,凑在我的脸上看,一个个变成皮肤专家,纷纷献计献策,要多热情有多热情。这样说话,已经成了我们父子的习惯(一般情况下,我很少问儿子在班上考了第几名什么的)。我觉得这样十分开心,我喜欢这样和儿子聊天。我说,有没有你最喜欢的?儿子说,现在不考虑这些问题。我说,还是我儿子有出息。不过,我在北京见到许多女博士,都非常非常漂亮,你说为什么?儿子惊异地看了我一眼,说,那是北京嘛。

但话一出口,我就觉得我的这句话真没水平,以这种方式给儿子动力,实在有些卑鄙。

113

五

　　给儿子买了一个商务通，上面带表，儿子原来的那块手表就多余出来。

　　一天，外甥女打电话说要来玩。儿子给我说，那就把我的这块表送给她吧。我说，你自己的东西，自己决定。儿子说，那就送给她吧，我姨平时对我挺好的。我说，是，感恩是一个人起码的品质。

　　但外甥女走后，我发现表还在他的抽屉里放着。我说，你不是说要给表妹吗？儿子说，我变主意了。我说，舍不得了？儿子说，这是你送给我的生日礼物，我怎么能随便送人呢？我的心里一热。对，珍惜别人的情感，也是一个人起码的品质。

　　又过了几天，乡下侄子来玩。走时，儿子把那块表给了堂弟。

　　侄子走后，我问儿子，不给表妹是因为表是我送给你的生日礼物，给堂弟就不是了？儿子说，给你说实话吧，那天本来我要给表妹，但想我姨有工作，买一块表不是什么问题，可我大伯却买不起。我的心里涌起一阵感动。我说，儿子你做得对，同情弱者，是一个人最起码的品质。儿子说，不过你不要伤心啊，你每次给我买的生日礼物，我都在日记上记着，等于我存着了，对吗？我说，你这是照顾我的情绪？儿子学我的口气说，珍惜别人的情感是一个人起码的品质嘛。

六

2001 年，我调到银川工作，儿子仍然在固原上学。平时难得回家，一旦回去，儿子从学校回来，就饿虎扑食似的一下子扑到我怀里给我汇报最新消息，当然以他在班上取得的荣耀为主。这次回去，我主动问儿子有什么喜事报告。儿子却说，平平常常。但回到单位，妻打电话告诉我，她去参加家长会，发现了一个重大秘密。我问，什么秘密。妻说，你儿子已经修炼到荣辱不惊了。我问，怎么个荣辱不惊法。妻说，老师一通报情况，才知道儿子是今年的三好学生，但六一那天，她问儿子怎么空手而返，你猜他说什么？他说，"空手把锄头，步行骑水牛"嘛。当时，她还以为儿子今年真是败走麦城哩，谁想这小子给他娘藏了一手。我说，也给他老子藏了一手。妻说，往年，别说是三好学生，就是一个小小的单科优秀奖，他也是唱着回家的，差不多一里以外就能听到他的歌声，上楼道的脚步声简直就是快乐的锣鼓，而奖状当然是像旗帜一样举着进门的，然后当然是要贴在床头好长时间的。但这次她压根就没有见到奖状，更别说向她夸耀了。放下电话，我的心里好一阵不是滋味。我不知道应该是为儿子高兴还是惋惜。

大山行孝记

　　儿子知道我喜欢吃榴莲，会不时买一个，自己却只尝一口，然后就再不动勺子，凭你怎么动员。他说："对我来说，觉得吃一口和很多口是一样的，都是那个味道，后面的都是重复。"不由惭愧，还不如儿子，我就是喜欢重复，喜欢重复那个味儿。

　　在享受上不喜欢重复，在孝行上却永不满足，这就是儿子。

　　妻说，儿子上幼儿园时，姥爷姥姥到县城，儿子回来从兜里掏出两块蛋糕，说，这是阿（我）给阿姥爷姥姥的。姥姥闪着泪花说，这么大的一点人儿，咋想起来的，知道给姥爷姥姥留着吃。妻说，儿子把两块蛋糕装回来，意味着一顿没有吃主食。妻说，每逢发了新鲜的东西，儿子都要装回来让她尝，虽然每次都要挨她一顿训斥，但下次还是装回来。知道她晕车，每次回老家，都要抢先上车给她占座位，有年春节，挤车的人特别多，儿子竟从别人裆下钻过去，上车给她抢了一个座儿。

　　去北京上大学后，每学期放假回来，都要带一箱东西，一人一份。特别是给爷爷奶奶，必不可少的是稻香村的软点心。当我拉开自己的书桌抽屉，往往会看见多了几袋茯苓饼、几盒干果。一次，还给妈妈买了一个发卡，亲手给妈妈戴上，问他怎么会的，说是让商场阿姨教的。一次，给大伯买了一把二胡，只因我们在聊天时讲到大伯当年喜欢拉二胡。还要到中关村给大伯买电脑，被我阻拦了，我怕电脑拿回家侄子会上网。

近几年，每逢寒假，他都会接爷爷奶奶到城里，也只有他能把爷爷接来。换了我，父亲总是一概拒绝。儿子不但能把二老接了来，而且留得住。2011年寒假接来，一直住到隔年夏至才送回去，长达半年时间，算是破天荒了。期间，父亲数次嚷着要回老家，都被他成功留住了。正好大四最后一学期，他就索性回来陪爷爷奶奶。为了让爷爷奶奶安心，他动了许多脑筋，想了许多办法。首先是严密监理着每一顿饭菜。我觉得妻做的花样已经够多的了，比我们平时丰富多了，但他还是要隔两天亲自去买一趟他认为更适合爷爷奶奶吃的菜。父亲不愿意戴假牙，早点妻就给烙软饼子吃，在我看来已经够软的了，但他还是要切成米豆大的小方块儿，让爷爷泡到牛奶中吃。爷爷的床头上，永远放着几罐糖果，各式各样的。每半个月给爷爷洗一次澡，每两天洗一次脚。怕爷爷奶奶晚上去卫生间磕着碰着，就买了一个可以在卧室用的便盆，还配了手电、扶椅等一应需要的东西。父亲眼睛不好，看电视要凑到屏幕前，妻就给他一个小木凳，儿子看见马上在网上买了一个同样高低的软凳子来。同时买来的还有足浴器，给爷爷洗完，给奶奶洗，然后自己洗，也不嫌弃他们用过的水。完了抱着爷爷奶奶的脚剪指甲，每次要剪半个小时左右，细致和耐心使我这个做儿子的惭愧。不巧，快要过年时，微波炉坏了，为了方便给爷爷奶奶每天热牛奶，他大年三十上街买新的，打不上的，就步行抱回来，到家，脸都冻肿了，累得睡了一下午，好几天胳膊还酸痛。知道我分身无术，他就每天拿出一定时间，陪爷爷奶奶说话，有时爷爷奶奶已经躺下了，他就上床躺在他们中间，和他们聊天，往往聊大半晚上。我在书房，都能感受到父母的开心。父亲永远在讲他当年那些事，我都能背下来了，但儿子却一遍遍倾听，他知道爷爷只是想和人说话。有空他就给爷爷奶奶录视频，包括每次回老家录的，估计超过一百个小时。为了解除爷爷奶奶的终极焦虑，他不停地在网上寻找相关视频，下载下来让他们看，为此，还专门买了一个 U 盘播放器。这也为留住爷爷起了很大作用，父亲不再时时嚷着回老家，而是每天准时坐到电视机前，让孙子给他播放下一集。我们欣喜地看到，半年下来，二老变得更加乐观、安详、喜悦，可以坦然面对归属话题。

在孝顺爷爷奶奶方面，儿子显然制订了近期计划、长远规划。对于大学生来讲，最后一学期意味着什么，不用多说，但儿子却把自己强行安排在爷爷奶奶身边。还剩最后两个月时，我半开玩笑地催他回校，说，快回去陪女朋友吧，孝敬爷爷奶奶的时间长着呢。他说，我的女朋友是天使，不用陪的。仍然尽心为爷爷奶奶服务，直到毕业典礼前才返校。为了方便接送爷爷奶奶，他专门考了驾照，说等家里宽裕了，买个车，想啥时去接爷爷奶奶就啥时去。虽然至今我都没有满足他这一愿望。

这些年我之所以能够坚定地推广"安详生活"，有一个重要的原因就是儿子的支持，才知人生最大的幸福来自后代对你价值观的认同。上大学后，儿子通过学习西方文化，接触外国人、外国公司，更加认同我的观点，成为一个最坚定的"安详理念"支持者，并为此放弃出国、到外企工作等计划，决定回家给我做秘书。

早在大二第一学期，他就写了长达万字的《让全世界人民都来学汉语》，《文学报》更名发了一个整版。在把东西方文化作了对比后，他说："在这一切对于经典文化的论断中，我们不难发现中华经典文化的魅力，遗憾的是，世界上至今没有一种语言能代表汉语来描述出这种文化。汉语的魅力，是中华经典文化五千多年的魅力，它所代表的智慧，是中华五千年文明的智慧。中华经典文化可以说是本世纪地球上仅存不多的文化宝库，而汉语，正是这座宝库大门的钥匙。"之后，他对中国经典文化的热爱与日俱增，到了大三，甚至到了非文言文不读的程度，说读白话文淡如白水。他说，这才真正体会到什么是爱国之情了，一个人在没有爱上自己的传统文化之前说爱国，肯定是言不由衷。

为此，大学期间，特别是后两年，他想方设法帮我，只要他能承担的，都主动承担了。

大三暑假，更换了已经老得不能再用的洗衣机、电饭锅、微波炉、淋浴器等。换洗衣机、淋浴器时，我正在楼上睡午觉，他都没有叫我帮忙，待我下楼时，一切都已做好。看到他累得满头大汗，我心里一阵自责，这本该是我的活儿，现在却让他来做。再看，还给卫生间安了换气扇，装了毛巾架等。说来惭愧，住进这个屋子已经七年了，这些基本设备我都没有顾上置办。对此，从未听到他埋怨，不想现在他竟自己动手了，而且摆出一种永远自己动手的样子，这从他在网上买了一套电钻等工具可以看出来。

大四最后一学期，他在孝敬爷爷奶奶、背诵《论语》等经典的间隙，抽空网上购物，给客厅买了一个书架和衣帽架，给厨房买了一个菜架，自己看着图纸组装。还把家里所有电源换成分项的，不用妈妈每次使用时都要拔插，保证安全。那几天，门铃只要一响，他就下楼搬东西，然后拆箱，看着图纸组装，汗流浃背的。不多时，一个柜子就立在客厅了，一个衣帽架就立在门厅了，一个菜架就立在厨房了。那是赶第二十二届图书博览会书稿最忙的一段时间，其间，我都没有认真看过他是如何组装的，当然就没有给他搭把手。他还给我的卧室床头买了一盏十分温馨的仿古灯笼形布艺彩绘罩式台灯，换下了我直接插在墙壁插座上的牛头灯。旁边配了一个小电扇，把遥控器放在我的枕头边，让我暑期舒服一些，因为暑期阁楼就是一个火炉。同时配了一个自动加湿器，让人躺在床上，有种重换天地的感觉。

　　一天下班回来，看见儿子映在一团橘黄色的光芒里。定睛一看，原来是他在往新书架上摆书，已经快摆完了，那是他给我网购的中华书局版的《中华经典名著全本全注全译丛书》，摆了整整一书架。我说，郭大山同志，你想开书店啊。他有些得意地说，是啊，您老以后基本不必再买书了。说着，拉上窗帘，把刚刚安好的落地灯摁亮，柔和的灯光打在书架上，再加上妻摆在书柜顶端的吊兰，让客厅一角一下子温馨起来，有意境起来。接着，他拉过来一个简式靠椅，让我坐上去，又从书架抽出一本书给我，说，您老今后就坐在这里看书，一边晒太阳，一边看，把这些书齐齐看一遍，再出去讲安详，就是另一种感觉了。

　　说到书，我的每部书稿，特别是中华书局出的两部书稿，他都在紧张的学习期间和同事、朋友一起帮我做了校对，确实增色不少。为了帮助我取证，他十分关注出版动态。这些年，只要有快递摁门铃让我下楼取东西，我就知道他又在网上给我买了书，打开一看，正是我当时最需要的。

看到我在全国讲课总是穿着同一件外套，他就开始在网上给我选衣服，不断地发来样照，让我确定后他下订单，我觉得没必要买那么多花样，就说都不喜欢。他就失望地回一句，我觉得挺好的啊，我妈也说挺好的。然后接着找，接着发，接着被否定。有一次学校组织去台湾，他还是自作主张买了一件回来，说实话，我是打内心里喜欢的，但表面上还是做出不冷不热的样子，怕他今后再买。每次回家，他都要给我把电脑重新装一遍，增加一些上档次的电子词典，还有一些我需要的软件，确实为我节省了许多时间。

除此之外，儿子还主动承担了对堂弟的教育工作，写给堂弟的励志信，估计也有上万字。2011 年，堂弟终于考上大学，他包揽了大人应该做的一切工作，从填志愿，到装扮，到送行。堂弟考取的学校远在长春，中间要换车，他不放心，就一直送到学校，办好住宿，给购置好生活用品后，才回北京上课。

我这些年不揣浅陋，到全国学讲安详，一个重要的动力就是儿子，因为他时时处处身体力行，让我讲起来非常有底气。

上初二时，十一放假，妻带他到银川来，说要给买件防寒衣，我就带他们去华联商厦。不承想看遍所有衣服柜组，也没有他看上的。他说，还有没有类似于固原商城那样的地方。我说有啊，东方商城就是啊。他说，那我们去东方商城吧。到了东方商城，他才真正进入买的状态。在一家卖休闲服的摊位前，他停了下来，要过一件，试了一下，然后和老板砍价。老板要了一百二，他还六十。老板说，六十我进也进不来。他就拉了我和妻走。老板说，如果要，就八十给你吧。他回过头说，七十？老板说，七十五行不行？他继续做出要走的样子。我和妻说，买上算了吧。他说，不买，刚才我看的那家，和他的货一模一样，人家才六十五。老板说，行行行，七十就七十吧，就算我没挣钱。就买了下来。往回走时，他说，如果换了你们，人家要一百二，你肯定给一百。我说，你什么时候学会的这一手？他说，早了。我说，真厉害，要不要奖励你一瓶康师傅？他说，要奖励就奖励一瓶酸奶，一瓶酸奶一元钱，有营养，还解渴，康师傅三块，不过是个水。我说，郭大山同志，你今天纯粹是给我和你妈现身说法来了嘛，哪里是来买衣服。他说，是啊，我就发现你们花钱太不仔细。就像刚才，你们怎么对五块钱是一种无所谓的样子。一个五块是五块，十个五块就是五十，一百个就是五百。我说，这又是谁教的？你妈？他说，是我自己悟出来的，这衣服和华联的相比也不差嘛，但华联的价格却是这里的好几倍。爸，你以后买衣服就在商城买，再说，衣服要会穿，如果你会穿，十几块钱的粗布衫也能穿出时髦来，如果不会穿，几千元的名牌也一样没档次，你说对不对？我说，对极了，为了表示我虚心接受，请你们吃肯德基吧。他说，我才不去附庸风雅呢，那是暴利，知道吗？再说，专家说了，饮食要素一点，生一点，少一点。书上说了，消化相同单位的肉需要血液的供应量是素食的十几倍，给心脏和肠胃增加的压力非常大，得到的能量和失去的能量相比，根本得不偿失。我说，你是从哪儿看来的这些理论？他说，好多书上都这样说。我愕然。看妻，妻一脸的得意。我说，那今晚我们吃什么？火锅还是煲仔？他说，我们回去自己做吧。

大四实习，我让他到一所小学讲《论语》和《西游记》，觉得应该装扮一下他，不要太学生气，就让妻带他去百货大楼买衣服。但是看了一圈回来，他都觉得贵，就在网上买了一套三百元左右的咖啡色休闲西装，配了一双褐色皮鞋，穿上，站在镜子前左照照右照照，还真像个小老师的样子。那大概是他在穿着上出手最阔绰的一次了。

儿子如此节约，但在帮助别人上却十分大方。去年暑假的一个晚上，他给妈妈认错。妈妈问什么错。他说前年他其实给同学借了一万元。妈妈问那另外五千元哪里来的。他说是他上大学时爷爷、奶奶、伯伯、舅舅、姨姨和几位叔叔阿姨给的，他瞒了我们数目。前年的一天，他打来电话说，同学家的房子很危险，急需改造，让我们支持五千元。妻就给打过去五千元，不想他还把自己的五千元私房钱打过去了。听妻讲完，我既震惊又惭愧，儿子拿出他的私房钱，相当于我拿出所有家底。近年来我也做一些小公益，但要我拿出全部家底，扪心自问，还真做不到。2012年春节，他又给妈妈说，借给同学的那一万元，咱们就不要了吧，一万元对我们不算少，但没有也能过得去，可对同学来说，却是一个大数字。这次我就不单单是惭愧了，而是觉得有一种力量拽着我的衣领，硬是把我带到一个开阔地带。就让妻告诉儿子，我们不但同意他的意见，而且欣赏他的做法。

实习结束时，儿子又给我出了一道考题，问我能不能给他的每位学生送一本我的《〈弟子规〉到底说什么》。我问一共多少人。他说大概五百人，如果算上另外一位实习老师的学生，大约八百人。我想了想，这等于把这本书的稿费全部捐赠了，心里多少有些不忍，但表面上还是十分痛快地答应了。他鼓励我说，老爸这次表现不错啊，有些真放下的样子了。真是羞愧。

在儿子的鞭策下，我把刚刚出版的散文集《守岁》、随笔集《寻找安详》（修订版）的首印版税全部折合成书，捐了出去，包括第三次重印长篇小说《农历》，直接捐到出版社无书可供，真正体会到了一点放下的感觉。但我深知，离真正的放下，还远着呢。

平时，我们是最好的"朋友"，"朋友"到可以无话不谈甚至交换感情隐私的程度，但在一些关键时刻，他又会以古礼把我推到父亲的角色里，让我体会为人父的尊严和幸福。高考完的一天晚上，我都迷迷糊糊地睡着了，听到一个声音：

爸，洗个脚再睡吧。睁眼一看，床前站着儿子，笑呵呵地，地上果然有一盆洗脚水。起来把双脚伸进盆里，心里有一种无法言说的幸福。第二天早上，他又为我做好了早点，让我用后再去上班。儿子的这一频道切换让我一时有些手足无措，甚至不适。那是一种需要狠劲才能消化的幸福，不同于以往"最好的朋友"带来的那种惬意和开心。随之而来的身心感受真是无比特别，工作起来特别有劲头，一下班就急切地回家。

贪恋他听到我的脚步声提前把门打开探出头来的那种感觉，贪恋他从我的手里一边接过包一边跟我说话的那种感觉，贪恋刚一坐定他就剥一个香蕉递过来的那种感觉……

去上大学那天，表哥表姐来送行，他拉了行李箱都要出门了，却掉转身，把我和妻叫到卧室，关上门，让我们并排坐在床上。我说，干吗啊？寻思间，他已经跪在地上，说，爸，妈，儿子给你们磕个头。起身磕第二个时，眼里已经含满泪水。送走儿子，我回到电脑前，想写一段文字，但好长时间，却不知写什么。儿子用三叩首表达了他想表达的，我却无法用文字表达我想表达的。但我分明听到心里有一个声音在说，从今天开始，做一个好父亲。

此后，儿子十分自然地在孝子和朋友之间做着角色切换，比如遇到我和妻的生日，他都要五体投地行礼；遇到他的生日，也要给妈妈磕头感恩；遇到大事，他都要先征求我们的意见，然后再做决定，等等。但在平时，他也会在我看电视时搂一下我的脖子，揪一下我的耳朵，有时也会倒转乾坤，批评我他不在现场时做错的事，当然是以我愿意接受或者能够接受的口气。总之，度把握得非常好，直接效果是促成了我的责任心和庄严感。

儿子的成长几乎没有让我们操心。很小的时候，都可以放心地让他一个人待在家里。妻去上班时，叮嘱他从里面扣上门链，交代任何人叫门都不能开。他就真不开。有一次，他乡下姑父来，在门外叫他开门，他脸贴着门缝说，我妈说过不让开门的。姑父说，我是你姑父。他说，我妈说任何人来都不让开的。姑父说，你妈说的任何人不包括姑父，你看我给你拿了你爱吃的油饼。儿子看了看油饼，仍然说，还是等我妈来了再说吧。姑父只好蹲在门外抽烟，一边抽烟一边跟儿子聊天，直到妻下班回来。

上小学一年级时，他就能帮妈妈做饭，常常妈妈还未回来，他就把面和好饧在盆里，单等妈妈来擀。一次妈妈下班回家，看到他正在和面，校服都没顾上脱，就说，你手洗了没有就这样和面？他的眼泪就刷地一下掉了下来。妈妈看到他眼泪下来了，忙说，妈妈和你开玩笑呢。儿子看了妈妈一眼，用胳膊肘擦了眼泪，继续和，一双小手像模像样地在盆里搅和，等妈妈换完衣服过来，一团面已经坐在面板上了。二三年级时，他已经能把饭做熟等着妈妈。有一次，舅舅来家里，等妈妈从单位回来，他都用炒面片招待过了。

儿子小学也贪玩，但到考初中那年，开始拼力学习。玩伴在门外喊，我们要去开门时，他就使劲摇手，示意说他不在家。他想考固原一中，就用粉笔沿途写"一中"二字，从学校开始，一直写到家门口。可以想象，他在和贪玩的习气作着怎样的斗争。当年果然顺利考上固原一中。初中时也玩，但到考高中时，同样的办法，同样地用功，同样考到他想上的银川一中。到了高中，差不多班里同学都用手机了，我说如果需要就给你买一个，他说不需要。我知道，有一个女生对他有好感，常常把电话打到家里来，但他仍然用初中时的办法，没有分心。谁想高考失利，刚刚上重点线，他决定复读。那年，他总结出一套理论，人是没必要睡那么多时间的，考前是没必要放松的，平时怎么作息就怎么作息。遂把休息时间压缩到六小时，甚至五小时。考前一天，仍然做题到晚上十一点。高考成绩果然比上年增加了七十多分，达到中国人民大学录取线。一年下来，书房四面墙上贴满了他的励志便条，如同时间老人的胡须，有一条写道，"以成绩报恩"。还有一条写道，"结果并不重要，重要的是完成一次超越"。

儿子曾画过一组图画，是他的成长史。除了在北京上大学，事实上也是我的迁徙史，从乡下，到县城，到地区，再到首府，外加两次进修，可谓一路辗转。每次观看，我都十分愧疚，这除了给妻平添了许多风尘和辛劳，也给儿子增加了许多新挑战，要不断适应新环境，建立新秩序。但他并未以此为怨，反而心存感恩，画面上写满了不同阶段关心帮助过他的人，有老师同学，有亲朋好友，并用粗笔标注了几位决定我命运转折的关键性人物。后来的一天，当我从妻口里听到，儿子之所以用心记住我讲的每件事并不断向她求证，像是要准备为我写传记时，泪水就不由打湿了我的双眼，他本已自觉承担了超过他年龄段应承受的一切，还时时处处想着成就我们，这该需要一种怎样的心力。

在儿子身上，我真切地体会到了什么是"顺"。小学三年级时，亲戚说把还给妻的钱放在棉衣夹层里让孩子从老家带过来，但妻翻遍衣服也没有找见。我便断定是儿子拿了。妻说从未发现儿子有此毛病，平时花一块钱，都是向她要的，如果不给，决不自己动手取。但我那天感觉儿子神态有点不对。就举起竹竿，让儿子说实话。儿子的眼泪夺眶而出，但我的竿子还是下去了，心想在品德教育上不能手软。不想在我抽第二下时，儿子突然止了哭声，说，你说是我就是我吧，要打要杀由你吧。然后转过身去，坐在桌前写作业，把后背给我，意思是，本人没时间正面奉陪。我手中的竹竿就尴尬在空中。晚上，妻在亲戚家孩子的鞋子里找到了钱，我才知冤枉了儿子，十分不安，默默站在儿子身后，看着他脖颈里红肿着两绺，心里很难过。想说一声对不起，却无论如何说不出口，就温了一块毛巾，敷在他脖子上，算是道歉。

母亲牙疼，半边脸都肿了，我和妻分别在合谷穴和足三里给按摩。儿子进来，看了一眼母亲，打开冰箱找东西。妻问他找什么，他不说话，只是找。妻说，你今天是咋了？刚吃过饭，不赶快去做作业，磨蹭什么？他仍不理会，又拉开冰箱底层，在里面倒腾了一会儿，然后出去。过了会儿，又进来，拉开冰箱门取东西。妻生气地说，你今天到底是咋回事？他仍然没有搭理，从中取出几牙冻成冰的橘子瓣，过来放在母亲肿着的脸上。我和妻都愕然。

从初二开始，发现儿子已经对我们的唠叨不屑一顾，全然一种"小人不计大人过"的样子，只顾做自己的事。有时妻生气，冲在他面前，他也笑脸相迎，不顶撞，不辩解，不争论，只是那么笑笑，然后趴在桌上做作业，或者倒在床上看书，妻的火力就那样哑在枪膛里，有气没力地扯几下后火，自动熄灭。在这方面，我觉得儿子做得要比我好，同样的情境，我就做不到这样，往往要论理，要计短长，不留神就把一件小事争大，甚至反目。看来，年龄和智慧并不成正比。

近几年，儿子几乎没有了脾气，对我和妻几乎百依百顺。我们约定六点起床，但他有时晚上忍不住要看书，睡晚了，早上就起不来。我进去在他大腿上掐一下，他呀呀叫一声，换个身，乐呵呵地说，马上马上，五分钟。五分钟后，再掐一下，他又换个身，乐呵呵地说，马上马上，五分钟。再五分钟后，我的手就要过去时，他就忽地坐起来，眯缝着双眼，冲我傻笑。然后说，把我衣服拿来。我就真给拿过去了。妻有时看见，说，呵，真"孝顺"啊。虽然听着不顺耳，但心里却是一种别样的幸福。小时候，他睡懒觉时，我这样掐他，他会不高兴，有时还发脾气。现在，我的手再重，也激不起他一丝情绪。如果不监督，他就坐在马桶上看书，我进去把书夺掉，他嘿嘿笑一下，盯着我看，让你觉得他之所以要在马桶上看书，就是为了让你夺掉，而让你夺掉，就是为了报你一个乐呵呵的笑。

不知是孝顺给了儿子开心，还是开心给了儿子孝顺，大四这年，儿子的开心饱满得到处洋溢。吃饭时，往往我们一碗都吃完了，他还盯着奶奶笑呵呵地傻看，吃一口，盯着奶奶看一会儿，吃一口，盯着奶奶看一会儿，看得奶奶都不会吃了。奶奶嚷着要回老家。他问为什么。奶奶说，你们这里把人坐朽了。他就嘿嘿一笑，然后按着奶奶的双肩，推着奶奶在地上转圈儿。奶奶就咯咯咯地笑。他说，看能把你坐朽吗。之后，一有空儿，他就推着奶奶在地上转圈儿，祖孙俩的笑声像花瓣一样落满一屋。奶奶走累了，坐下来，他就蹲在前面，抱了奶奶的脸，欣赏桃花一样地看。看得奶奶不好意思，常常捂了眼睛。坐在沙发上看电视，他常常搂着奶奶，否则那胳膊就没地方放似的。

大四寒假，他把同学之间的约会能取消的都取消了，非常要好的几位，非去不可的，也把时间尽可能地压缩。显然，他想念同学，但更依恋这个家，我甚至能够感觉得到，他聚会完是跑步回家的。一进门就"爸"地叫一声，然后跟我说话。我说把衣服放好。他一边把放错的衣服放整齐，一边等不及似的跟我说话。我说把袜子放在鞋窝里。他一边把袜子放好，一边眼睛盯在我脸上，说，爸，我给你说啊……

平时想跟我说话，到书房来，看见我写东西，就什么都不说，轻轻带上门，出去。有时实在想说，就在书柜悄悄取一本书，坐在地板上看，直到我告一段落。还没等我把文档存完，就开始说了。往往有许多让你意想不到的悟处，关于生命，关于人生，关于灵魂……

大学期间，儿子差不多每天都要来电话，有时我忙，往往会十分残忍地说，今天就说到这里，明天再说。也没觉得他有多少失落，说，那就明天再说。第二天仍然会按时打过来，每件事都讲得津津有味。有人说，只有恋人之间才有说不完的话，而我体会到的却是父子之间有说不完的话。上大学后，每学期回来他都要和妈妈睡一晚上，不停地说话，说得没了睡意，干脆坐起来说，直到妈妈的鼾声响起来。

虽然我是他的父亲，但在不少方面，他是我的老师。有时甚至觉得我和妻是他的孩子，什么都要他操心，都要他料理。

上高中时，正是韩剧流行时，为了控制妈妈看电视，他把天线给锁了，直到他高考完，才取出来，为此，我们养成了晚上读书的习惯，已经好多年没有看过电视剧了。

一度，我的写作有些背离方向，他就提醒我，钱这个东西，只不过是银行账户上的一串数字，说有就有，说无就无，手头宽余了日子可以过舒适一些，不宽余了日子可以过清淡一些，不必为了挣稿费降低写作格调，说得我心里一震。为此，他的生活会更加节俭。一次，我在北京出差，正好遇到他放假，他就邀请我一起坐火车回，但是已经买不上票，我就让他退掉火车票，和我同坐飞机回，他说什么都不干，说，等我啥时能挣来飞机票的钱再坐飞机。和他一起出门，没有着急的事，你就别想打的，要么坐公交，要么步行。

有一年，我的人生进入低谷，有种扛不过去的感觉，儿子几乎每天都打电话来，给我打气，说，天地太广阔了，一定要把心量放大，当你的心量大到可以把小气候忽略不计时，大境界就到来了。还说，当外界还能影响你的心情时，说明你还没有找到本质，还在现象世界，平时多想一下孔老夫子的"朝闻道，夕死可矣"，你就能超然了。按他说的去做，还真有效果。

一次回老家，晚上哥安排我单独睡一屋，因为我的瞌睡轻，怕人惊动。不想儿子悄悄跟过来说，你应该和我爷爷奶奶睡，一年睡不了几次。我说，你爷爷打鼾。他说，那也没关系，听爷爷打一晚上鼾也挺好，不然将来您老会后悔的。觉得有

133

道理，遂去父母身边睡。果然睡不着，但听着父亲平添了许多老态的鼾声，就更加佩服儿子。

大三那年，儿子和妻带母亲去了一趟北京，把该看的地方都看了，包括他的校园、宿舍，从照片上，可以看到母亲有多开心。但对父亲，此生就永远没有可能了，因为父亲已经八十七岁高龄，已经没有能力出远门了，于我，这个账，就永远欠下了。心里的懊悔，真不是语言能够表达的。有时心想，这些年都忙了些什么？忙来的那些东西，到底都有什么意义？我居然一直没有拿出时间，带父亲出去一趟。就在那晚，我在心里说，一定要在哥嫂还健康时，带他们坐一次火车，坐一次飞机。

说实话，我和妻都算孝敬老人，但是要把父母吃剩的饭菜吃掉，一直没做到。但有一天，看着儿子一点没有嫌弃地把爷爷吃剩的饭菜吃掉，我们就不得不改。一天，当我首次把父亲吃剩的菜接过去吃完时，我从父亲的目光里看到了从前一直没有看到的欣慰，我也确确实实地感受到，只有不嫌弃老人时，才算真正迈进孝道的门槛。

2012年春节，几个妻侄张罗在大年初二进行了一次新年聚餐，一方面因为我的父母正好在银川，另一方面也算是团拜，大家以此方式互道祝福，之后就不再一家家走动了。我是一个时间葛朗台，既然已经团拜，就不打算每家每户地去拜年了，因为岳丈岳母已经过世。不想儿子说，还是要去，你忙你的，我去，反正我姥爷姥姥不在了，你可以不去，但我做外甥的，不去给舅舅舅母们拜年，说不过去。我说已经搞过团拜了。他说，那是新式的，古礼还是要遵循的，就一一去拜。

可见，他在如何地弥补着我的过错，减少着我的遗憾，维护着我的声誉，提升着我的威望。一次回老家，他甚至专程去看望我嫂子的母亲，临行把身上所有的钱留给老人家，让嫂子无比感动，对我的父母更加孝顺。

此后的一天，他给我说，爸，你什么时候能够修到平等对待郭、田（妻姓）两家，就真安详了。同样说得我心里一震，是啊，自己的心里还有分别，还有远近，还有亲疏，还有自私，怎么能够找到真安详呢。又一天，为了阻止我接一个书稿，给我说，生命的意义在于不断提高灵魂的等级，而不是老在一个平面上重复。更是让我惭愧。没错，这部书稿确实是一次重复。当晚，我就给对方写了长信，致歉解除了草签的协议，决定从儿子希望的层面上开始新的人生。

曾有朋友问我，怎么老是那么知足。我说，儿子已经把我的心装满，又有何求？

也有朋友问我，怎么听不到你的抱怨？我说，此生已经拥有这样的儿子，又有何怨？

有一种幸福叫父亲

一

着迷于儿子睡着后安恬的样子，一会儿皱眉，一会儿微笑，一会儿又像审视，大多时候是没有任何表情的安详。

喜欢给儿子换尿布，有一种把儿子从苦海中解救出来的成就感，从水深火热中解救出来的喜悦感。每每把儿子从湿处换到干垫布上，心里有种说不出来的幸福，人的慈悲心大概就是从给孩子换尿布时开发出来的。那是一种解救的快乐。

儿子也太好带了，只要吃饱，就静静地躺着，不嚷不叫。

喜欢给儿子一个手指，被他握着，从紧紧攥着的劲头可知，他从中得到了安全感。因此，常常把他的手指从手套里掏出来。妻怕抠到脸，我说不怕的。

二

喜欢和他对视的感觉，给他背诗，他看着你，目光里全是响应，我不知道从我口中出来的句子，落在他心里是什么东西，但是我喜欢这种落，这种接。

下午大妻哥来，小舅子来，我发现只要家里来客人，他就哭，就抱了他走"现场步"，走了一堂课时间，他睡在我的歌声中，搂着儿子，就像搂着一个睡着的世界。我不知道他在爸爸的摇晃中，伴着歌声睡眠，该是一种什么感觉，但我却幸福得无以言表。

三

喜欢给孩子换屎布的感觉，喜欢摸着他的小屁股的感觉，那种没有被意识污染的小身体，是世界上最美丽的存在。喜欢给孩子喂奶，看着他专注的吸吮，嘴里发出哼哼的声音，小嘴皮把奶嘴吸得叭叭响，小手攥着我的一个指头，眼睛专注地看着你，亮得就像黑宝石，就像深不见底的深潭。

喜欢我给他读经典时，他目不转睛地看着我的感觉，那是一种纯粹的倾听，超越内容之上的纯粹的倾听。

137

这几天妻已经给他炖一些苹果汁了，他小嘴叭叭地吃。

四

下午给儿子洗澡，小身体无比美丽，看着他由紧张到放松的样子，真是乐，还在水里浇了一泡尿。

晚七时，抱着儿子，用"千金难买是朋友"的旋律，哼着"啊，我爱你"，走"现场步"，不多时，他就睡着了。我仍然走着，直到累得走不动了。坐在床上，让他睡在我的腿上，枕着我的胳膊。

哭。

我又到客厅，让睡在我腹部，至九时半。

抱着儿子，如抱着一个小宇宙，一个小生命在你的腹部呼吸，这是多么美妙的事情。一个人是另一个人的床，这床上孕育着怎样的梦境。

138

有时，我甚至能够体会到，他的小身体里，有无数的工人正在紧张地劳动，为这位主人搬运细胞，搬运力量，搬运心智，轰轰烈烈，又悄无声息。这，也许才是真正意义上的建设。

我不知道，他为什么要投生到我这里来；我不知道，我们是一种怎样的缘分。不想这些，只是享受这一刻。我甚至后悔在这期间看了手机，应该静静地守候着这份缘。

五

今天，拉着儿子两手，他能抓着坐起来，然后努力撑着头，那种努力的样子让人心疼。

让儿子学爬，推着他的双脚，他会像青蛙一样往前爬。

生下来就会吃奶，就会撒尿，就会哭，没人教，让人对"本能"二字充满敬畏，这也许只是生命流转到人这种状态后保留下来的些许能力了。如此，生命原点的能力该有多厉害？也许在那个地带，人真是能够心想事成的，无所不能的。

睡着了还能吃奶，是一种什么力量在指挥。还有这乳房的设计，都刚刚好，让她的孩子躺在臂弯里，正好，不远不近。

抱儿子走"现场步"，在客厅，走圈儿。小家伙在我怀里甜蜜地睡着，我想这小东西将来长大后也许又是一个吃百家饭走四方的主儿，能在行进的车上睡觉。

发现一件趣事：以"千金难买是朋友"的旋律哼"啊，我爱你"时，他特别安详，中间改哼《爱与关怀》，当唱到"真心祈求世界平安"，孩子一惊，醒来。再哼"啊，我爱你"时，又睡去。

可见一念一世界，念头一换，孩子就从一个安然的世界进入一个惊恐的世界。

139

六

出差回来，看到儿子在老躺椅里睡着，面莹如玉，安详似小佛。幸福难以言表。两天在外，母子关门生活。

七

六十八天。

妻说，他晚上睡得可安稳了。早上五点起床，刚醒来的样子安恬至极，那种无思无欲，只是泊在时光之上的安恬，无法用语言描述。我拿起摄像机，给他摄像，他仍然静静地看着。我才知道刚醒来的样子是如此美好。也许，通过一晚睡眠，人们得到天地充足的滋养，滋养充足时，就是最美之时。妻揭开他的小被子，露出小腿，让人更加心生怜爱。放下摄像机，给他冲奶粉，妻让我冲三勺，我总是忍不住要冲四勺，他喝不完，我就喝剩奶。

操心着给恒温器里加水，已经是我的第一警觉，因为听不得他饿了时着急唤奶的声音，可以说是声声裂肺。非常感谢发明恒温器的人，它能够让水温永远保持在 50 摄氏度左右。这样就不需要再像以前那样等开水凉到能喝的温度，或者半瓶开水半瓶凉开水地兑。

一辈子没用过矿泉水，儿子来了，就开始用。我和妻仍然烧自来水喝，把矿泉水留给儿子。从前天开始，我早上五点起来，给儿子熬粥，黄豆、黑豆、小米、核桃、胡萝卜、葡萄干。他居然能够喝一奶瓶。从上周开始，妻每天给他熬瓶苹果山楂汁，大便就通畅一些。

要想体会疼爱的感觉，就要老年得子。

独生子女制度确实有些遗憾，年轻夫妻在养第一个孩子时是体会不到这种感觉的，要么把孩子交给爷爷奶奶或者外公外婆带，要么请保姆，和孩子的感情是隔着的。再加上年轻夫妻，还要对方分出一份感情给自己，特别是孩子最需要陪伴的夜晚，双方还要夫妻恩爱，孩子被冷落不说，潜意识会心生嫉妒和怨恨，释家讲，孩子本来是父母前世的情人。

老年得子的人，夫妻双方的心全部在孩子身上，孩子得到的是一份饱满的爱。

大多人带孩子时，一边工作，一边带，哪里像我们现在这样，全身心地带孩子。晚上搂着孩子睡觉，白天抱着孩子在阳台几小时的沐浴，要么就给孩子洗澡、喂奶、读经典。

妻也从儿子身上得到了能量，高血压的药都停好长时间了。操心孩子，晚上睡不了囫囵觉，但人倒精神了。

早上，妻指着自己的胳膊说，因为抱孩子，变粗了。

今天早上本来有许多事情要赶着做，但是吃完早饭，还是举起儿子，在地上走"现场步"。儿子显然喜欢这种状态，一双水灵灵的眼睛目不转睛地盯着我。有时候，我都觉得我的双眼就是他的双眼，他的双眼就是我的双眼。虽然没说一句话，但像是我们都能懂得对方。期间，如果我在吟诵时走神，他都能感觉到，身体马上就有反应。手举累了，就抱着他，这时他往往会睡着。有时会忍俊不禁地冲你一笑，好像在说，我就要治你不爱锻炼的病。

妻说我这个人的最大毛病就是不爱动身，常常在电脑前坐一天。现在，每天要抱着儿子在客厅走一个小时。

在一样到来之后，我才真正体会到一个做父亲的感觉。给他熬粥、洗尿布、冲奶、读经典、抱他散步、哄他睡觉、给他录像，实实在在地体会到其中的乐趣。

才知道什么是天伦之乐，这种乐本为天赐。

才知道他的吸引力有多大，可以让人看着他就忘掉一切。早上起来，看到他房里灯黑着，高兴，因为他在熟睡；灯亮着，也高兴，因为我可以进去亲他，从妻手里接管他，给他换尿布。最喜欢给他换尿布，当我把他的尿不湿拿掉，脱下尿湿的裤子，一种帮人解脱的喜悦就充满心田。

心想，佛陀让一切人都得到解脱的大慈悲心，大概就是这个样子。

就连吃饭，都要蹲在他床边吃。

说起来有些大逆不道，父母在新房子里，我两边跑，但明显感觉这边的吸引力大。就想每天看见他，一进门，先进他屋看一眼，再换衣服。

八

对不起一样，做志愿者，在全国义讲一个月。

三点起床，熬了粥，写稿到五点，听到儿子醒了，给弄稀粥喝。

儿子现在已经能够在吃奶时双手抓着我的手往他嘴边推，那双手小得和我的手太不成比例，但你却觉得他是无比有力的。

吃完奶，看他在"努力"，感觉他要拉了，他已经三天没有拉了。解开被子，果然，黑漆一样的屎已经粘在尿布上。我知道，那是大部队的先锋，就给颠，托着他的光屁股，让他躺在我的怀里用力，发现自己的气已经憋上了，像是要替儿子拉下来。

儿子开始了他三天一次的清理工程，脸因用力，都变形了，整个身体像是冲锋号。不久，就有一股冲了出来，溅了我一身，接着，一股股大便打着盘儿落在便盆里，那种快乐无以言说。妻给擦屁股，洗屁股，然后换了小被子。

143

轻松之后的儿子无比轻松。静静地躺在床上，做出享受态。

每次给儿子颠屎，是我和妻子的节日。

然后抱了走"现场步"，我双手托着他，让他面对着我，他的眼睛就变成我的世界。才发现带孩子是修定的最好办法，看着他深邃的水灵灵的明眸，你还能有什么杂念呢？你的心里除了对造物主的赞叹，还能有什么想法呢？

累了，抱他上楼，想搂在我书房的床上睡觉，但他消极抵抗，最后发出告怜的声音，只好穿衣抱他下楼，站在阳台上晒太阳。

晒太阳时，不知怎么就哼起"太阳光光出来了，一样就要长大了"。哼着哼着，就哽咽了。接着泪水就顺着面颊流了下来，忙伸手擦掉，担心落在儿子熟睡的脸蛋上。控制着情绪，再唱，直唱到欢喜。

唱累了，看着儿子，心想，一个人可以在另一个人的怀抱里放心的睡觉，这将是多么幸福的一件事情。什么是父母，父母就是我们可以在他怀抱里放心睡觉的地方。试想，在这世间，还有谁能让我们在他怀里放心的睡觉。

144

往床上一放，他又醒了，就给冲奶。

仍然喝得惊天动地。

妻在另一间屋给儿子缝新棉花被子。

儿子吃完奶，趴在我胸前睡着了，再次心生怜爱。放到床上，儿子醒了，我让他侧睡，拍着他，他静静地看着我，渐渐合上眼皮，最后进入梦乡。

那两排好看的睫毛就刷在我的心尖上。

它是梦的房檐。

接着，我就听到他奶味的呼吸。

它是梦的窗户。

盖了他娘缝的新棉被的儿子睡得特别安详。新棉被的面子是大红的，给这个屋子增添了许多温暖。

九

巡讲回来，先到父母处，接着就往旧屋赶，心被牵着，想儿子，是那种揪心的想，就想看到他的小脸庞。进屋，已经晚上八点。妻屋黑着，心想儿子睡着了。上楼工作了会儿，听到儿子叫了，下楼。当儿子进入眼帘，觉得心被一下子装满了，就像一个渴极了的人，满满地饮了一大杯凉茶。

八天不见，儿子长大了，有了"成品"的样子。让人吃惊的是，灯光中，抱着他看范彦奎先生写的《朱子家训》四条屏书法作品，他居然翘着嘴笑，像是从中看出味道来，那么会心。抱到书房，环视一周，没有表情，到了吴善璋先生写的《太上感应篇》（节录）书法作品前，他又笑了。

妻说这两天和妻姐给读经典，儿子安然，能放下睡觉，脸上有了喜悦。观察，果然。之前儿子总离不开人，放到床上就醒，妻哥说是宠的。现在看来，是儿子恐惧，一定是有一种非和谐力量在骚扰他。这两天，妻每早起来站在儿子床头读，妻姐在另屋读。儿子一直倾听。昨天中午，妻姐带妻出去剪头，我带儿子，儿子居然睡了将近三个小时。我在厨房做饭，烧水，拖地，都没有吵醒他。不得不相信经典的力量。如果不是实验，有谁会相信这一点呢？又觉得歉疚，儿子来快三个月了，我们居然没有好好读经典。

妻姐给儿子买了一件带虎头的裤子，穿在身上特别喜庆。

十

今早三点半起床，给儿子熬粥，小米、核桃、苹果、青枣，儿子喝了一大奶瓶。现在儿子一天喝两瓶，下午是豆浆。

本来想睡会儿，但一下楼，看到儿子，抱着他，就睡意全无。146这种来自生命本身的力量，真是吃惊。

妻剪了短发，像个年轻母亲了。她说，为了不污染儿子的眼睛。我觉得也对，早上刮了胡子。要给儿子一个好的形象。

儿子现在已经能够配合撒尿了，人给颠，他配合。看着尿水撒在尿盆里，那种喜悦真是无以言说。

渐渐可以告别尿布了。

十一

昨晚，妻拿了绿色闹钟在儿子眼前移动，他居然跟着看，头转来转去的。大概二十多分钟时间，目不转睛。四肢活跃，跃跃欲试的样子。还有按摩器，他也爱看。晚饭后，是我们一家最快乐的时光。他躺在床上，全身是戏。我被粘在那里，忘了世事，包括那些在之前看来的要事大事。

最近，每当妻喊"老郭快来看"，我必是放下手中急活，跑到他们母子跟前，才知她让儿子趴着，他居然能够把头抬起来，显然有力量了。

十二

我和妻都发现，儿子吃奶时，只要我们一走神，他就噎，可见大人的意识对小孩的意识具有主导作用。

我还发现，儿子睡着时最庄严最美丽，醒来虽然可爱，但失去了庄严。可见人在潜意识状态下最庄严。那在超意识状态下呢？

这周回来，发现儿子表情冷峻，难得微笑。妻仍然在读经典，把儿子放在小车车内，一读，他就安睡。我也发现，他对轻薄的逗笑没有兴趣，几个回合就烦，这时，你开始读经典，他就安静下来，倾听。

一样逼我们背诵经典，最近，我和妻背下了《朱子家训》《弟子规》《太上老君说常清净经》等。

只要家里来了生人，儿子就几天不安宁。

儿子突然撒尿，忙用手掬，完了，都没有顾上洗手呢，妻买来饼子，就拿了吃，不嫌脏，真是怪。

十三

晚上，儿子吊在他娘的奶头上，目光看着他娘，就像是做了什么错事，有些贪婪，有些恐惧，小手在他娘的衣领上抓着。

给他冲了奶粉，其坚决拒绝，有些歇斯底里，我还以为烫着他了，不想是他不想吃时的一种拒绝表现，意思是，别烦我好不好。

凌晨一点半起来，下楼上卫生间，看到妻和儿子房里灯亮，进去，妻刚给儿子吃完奶，放下奶瓶，他就睡了，不像白天还要哄他入睡。

熬了粥，上楼，很困，但是舍不得睡下，打开电脑，写下这段文字：

昨晚，五市宣讲结束，聚会，很想回家，但领导说是最后的聚会，还是参加一下，就去了。八点，还是首先告退，心想自己回迟了，儿子睡了，今天就见不上儿子了。

打的回家。到了门口，又想没小米了，早上要给儿子熬粥喝，就到小卖部买小米。把人家仅有的米都买了来，还买了些新枣子、大白菜。回家，虽然近九点，但他们娘俩还没睡，儿子吊在他娘的奶头上，斜了我一眼，算是对他爸的问候。

十四

一天不见儿子，就想，看不够，亲不够，百看不厌，百抱不厌。抱着他，捧着他，就像是捧着自己的心。这也许就是天地柔肠在人间的投射。人如此爱孩子，也许正是天地爱万物的人格化。

刷牙，儿子哭；妻拖地，哭声升级；几下刷完牙，进屋抱住儿子，忙说"对不起，请原谅，我爱你"，连着说。儿子像是听懂，戛然止了哭声，但还伤心着。紧紧搂了，心想自己应该听到哭声就放下牙刷来哄儿子。好后悔，好自责。

跟了播放机读《弟子规》，渐渐地，儿子睡着了，但一只眼睛留了一个小缝，怕我走掉似的。

给儿子熬粥，找苹果时，发现冰箱里有几个石榴，是老冯从河南荥阳寄来的，居然被妻放在冰箱里冰坏了，说她，

149

她还辩解。气就上来了。但立即意识到，不能在儿子面前吵架。为了儿子，从此不能生气。

十五

穿裤子时，让他趴下，不想他把头挺起来，嘴里念念有词，细听，像是"很好"这个词。我给他说"都一样，我爱你，我错了"，说到"我错了"时，他咧嘴一笑。

妻给熬了粥喝，我蹲在床边吃粥底，他转头看着我，小嘴一动一动的。

十六

九十五天。

儿子今天能够仰躺在床上，抓着鱼气球的绳子往怀里拉，四肢皆动，如同舞蹈，因为用力，最后两条腿纯粹翘到天上，让我笑翻了天。两眼盯着气球，小身子都在用力。把尿都挣得浇到床上，划出一个抛物线。但眼睛仍然在气球上，手仍然在绳子上。这是他第一次和外物互动。还无法挪动绳子，只是靠本能让气球靠近自己。后来，居然两手抓住绳子，牢牢地把气球控制在手里。

对于普通人，这是多么简单的一件事情，但现在发生在儿子身上，我和妻都觉得是奇迹。

没有任何一本书像儿子一样，百看不厌，常常盯着他，一两个小时就过去了。

喜欢听他的呼吸声，喜欢听他吸奶的吭哧吭哧的声音。

儿子困了，就把头偎在妈妈臂弯里，妈妈的臂和腋交处，既有空隙呼吸，又能挨着妈妈的胸，这是他自己找见的。

十七

儿子在我怀里睡去，我背诵经典，一小时，儿子一直睡，后来突然发现，把儿子扔下，背诵，把心由经典移到儿子身上，看着他的睡相，对比之下，发现经典就在儿子的脸上，那种活力，那种生机，应该就是经典所指向的。他虽然睡着，但脸上的表情是生机勃勃的，生动活泼的。脸皮上有一台戏，嘴角上有一台戏，酒窝里有一台戏。这样看着，整个宇宙都在眼前。

中午起来，下楼，妻喊我："快来看。"进去，发现她正给儿子晒屁股，儿子趴在婴儿车上，她把两个枕头叠在一起，让儿子趴在上面。儿子的屁股在阳光下红彤彤的，有种说不出来的味道。侧面看去，他正在吮自己的手指头，显得自在安详。

这时，门铃响了，一看，是他大舅、大舅母、六舅、六舅母、表哥、表姐，带了各自的孩子，一下子，屋子里站不下了。

他们忙着进屋看儿子。

一阵惊叹之后，儿子就在他们手上传来传去。儿子表现出一种克制的友好，没有拒绝，也没有显出盛情，有些诧异，有些新鲜，有些不适应，但始终表现出大方和好客的神气。不多时，就在表哥田宁身上尿了两泡，田宁说，这是给他财呢。

我借机出去给儿子买苹果，昨天给买的红富士，煮粥时煮不烂，就买了好多绵软的香蕉苹果，黄色和红色的各买了两大包，给三位表孙买了些酸奶。

回来，让儿子表现玩气球，儿子不像早上那么有兴致，显然是累了。

睡起来，居然玩了将近一个小时。

送走他们，儿子显得特别累，就搂了他，马上就睡着了，放在床上，沉沉睡去。妻给读经典，我上楼写日记。

看时间，已经是六点，儿子中午没有休息，下午"待客"，居然三个小时没有哭，没有闹，真是我的儿子。

要是以前，今天下午我会躲出去，但今天没有，早上表侄女田娟给孩子过满月，我知道下午他们会来，就等着接待他们。一样来到这个世界上，他们悉心照顾。我得拿出些时间接待他们，亲近他们。

表侄女田瑞曾说，女儿百岁时笑出声来，把她高兴坏了。我现在能够想象那种喜悦。如果是以前，听他们说这些话，我会没有感觉，但是现在能够感同身受。

十八

早晨，妻读经典，我给儿子喂奶，然后抱着他，靠着床睡着了，看到两个穿红衣服的小孩从我眼前走过，不知何意。儿子虽然睡着，但不时会嗯一声，妻说这是打探我们是否在身边。我说爸爸在，他就不吭声了。今天正好播放器关了，这种父子同梦的感觉真是好。当我们都睡着时，也许潜意识会在一起玩儿。那两个穿红衣服的小孩，也许就是我们父子。

儿子不吃粥，要吮妈妈乳头睡觉。

抱着儿子在阳台上晒太阳，想到，父母对孩子的爱是纯粹的爱。你亲他一口，只是纯粹的亲，没有暗示，不作为诱导。男女亲吻，则是非纯粹的，有诉求的，有暗示的。男女身体接触后，双方都累，都需要睡眠补充能量，但父母抱小孩，越抱越精神。上苍创造生命传承，也许就是为了让我们体会这种亲爱的纯粹性。又想，这种纯粹的爱来自非纯粹，如果没有男女亲热，生命就无法降生。

十九

一百天。

四点下楼，上完卫生间，妻儿屋里的灯亮了。妻叫我，让给儿子冲奶，说自昨晚八点吃完，再没有吃。就给冲了满满一瓶，奶粉放得都冒尖了。一边念感恩词，一边摇化，给妻，不想儿子吃了四分之三，剩下的我喝了。儿子把头依偎到妻怀里，仍然要吃奶。

我去煮粥，仍然是小米、苹果、枣子、桂圆肉、核桃仁。

困，但舍不得再睡下，就站桩，下弦月如镰，相对默契。有那么一刻，当呼吸停止时，我定住了，不由想到，现在，楼下睡着的妻和一样，觉得生命中多了一个亲人。一种巨大的充实感涌在心间，接着，就是铺天盖地的感动。

平时，一进小区，步子就快起来，急切地想回家，当看到自家那间屋子，亮着灯，心里就被一种坚实的温暖充满。在这个世界上，有这么一间屋，是我的；有这么一束灯光，是为我亮的；有这么一位女人，是我的妻子；有这么一个小孩，是我的儿子。

这个屋子，一样在其中度过了一百天，这该是一种怎样的缘分。

因此，昨晚给一位曾有过节的家人打了一个电话。

上苍把这么可爱的一个儿子赐给我，我得更加宽容，心中不能存抱怨，有芥蒂。我要把心清理干净，存着爱，作为另一种奶水，让儿子吮吸；我要好好布施，放下、放松、放心，让这份爱纯净，让儿子吸吮。

晚饭后，抱儿子在地上走"现场步"，他把头埋在我胸前，一阵蹭，让人心生母性的柔情，只恨自己没有一个乳房，供儿子吸吮，但庆幸自己还有一个肩膀，可以让儿子依靠，有一个下腮，可以让儿子贴着。就把脸贴在儿子额头上，不一会儿，他就睡着了。发现他喜欢让我下腮贴着他的额头睡。

渐渐地，喜欢这样抱着儿子，左手伸到右面，抓了自己上衣的下襟，盘成一个半圆，让儿子小屁股坐在上面，右臂揽着儿子上身，手掌托着儿子的头，让儿子在这个交叉中安稳地睡觉。

放平他，总会醒来，抱了，贴了脸，又会睡去。

虽在梦中，但当念"一样，我爱你"时，他会笑。

妻子昨晚两点起来，中午陪大嫂四嫂，居然不瞌睡，这就是一个儿子带给母亲的精神。

儿子像是一块磁铁一样吸引着我。到楼上工作没多久，下楼。妻给儿子绑尿不湿，我把手伸进儿子衣襟，摸着他的小肚子，圆鼓鼓的。

儿子吃奶时，我站在床前的屏风前，一跳一跳地做广播体操，儿子大笑，真是"老夫聊发少年狂"，想到春秋老莱子七十岁故意跌跤惹老母笑的故事。

晚上回来，孩子总是哭，问妻今天读经典了吗，她嘴里支吾，知道没读。我就补读。不多时，一样就安详地睡着了。

二十

给儿子洗澡，小身体泡在水里，其先紧张，到放松，光滑的身体，让人摸不够。

下班回来，儿子躺在床上玩气球，眼睛盯着气球看，两个小腿像蹬自行车一样，不停地蹬着，那种被限制的肢体语言和突破限制的努力，笑翻了我和妻。认真、努力、持久，像是在努力赶着一段路程，又像是在努力完成一个工程。

二十一

早晨起来，妻已经在读经典，儿子在床上一边听，一边看气球，同样是两腿在蹬自行车。居然一个小时。我洗完澡，给他洗完积了两天的尿布，他仍然在玩。我趴在他身边，和他说话，他居然咿咿呀呀地呼应。给他穿裤子，然后抱了背经典。他听着听着就睡着了。

二十二

抱着儿子，舍不得往床上放，这是一种纯粹的拥抱。抱着他，心里是那么充实，安静。看着他熟睡的面庞，一下子就回到当下。终于有那么一刻，往床上一放，他醒了。那种后悔，真是刻骨。打扰了他的梦，多大的罪。今后，就抱着他睡，让他睡到自然醒为止。

睡前，脱了小裤裤的那段时间，无比幸福。他又开始了一天的"急行军"，躺在床上骑自行车，两条小腿急行军似的蹬着，当作一件重要的工作干似的，像在完成一件极其重要的任务，又像是运动员在锻炼肌肉。

事实上，我这些话仍然无法描述当时的那种感觉，只是侧身在旁边傻笑。我抓着他的双脚，他临时停了下来，神情

157

像是短跑运动员在候跑，随时等待那声枪响似的。等我把手一松开，他又开始蹬了。

有一次，我松开手，他的尿就出来了。我忙掬着，但还是尿到床上了。

舍不得上楼睡觉，但还是要舍，那是一件刻骨铭心的痛苦。心想，等把急活干完，要好好陪儿子几晚上。

侄女金凤和女儿雨薇在另屋，就没有这种温馨，爸爸不在身边，只由妈妈陪着，对于孩子来讲，这是多么残忍的一件事情。相反，更加提醒我，要好好陪孩子。

二十三

今天，抱儿子，他一下子在我腿上站了起来，毫不妥协的样子，像是要给他爹展示他的力量和威风。

今天，他第一次听我朗诵讲话稿，长达十分钟，听完，坐在他妈妈怀里睡着了。

晚上，儿子不睡觉，妻给奶也不吃，给奶粉也不吃，哭声奇形怪状。我就抱了在地上走"现场步"，配合吟诵。他趴在我肩上，盯着书柜上的圣人像看，目不转睛，大约二十分钟后，睡着了。心想，他是要听唱诵呢，还是要逼我唱诵呢？

一个一百多天的小孩，居然不愿意待在妈妈怀里，要爸爸抱着唱诵。

妻说，我走了后，儿子又醒了，她抱着睡，一觉醒来，她的胳膊都要折了。

现在才知道什么叫吸引力，每时每刻都想看着他，端详他，包括他睡着之后。往往，妻会推我一把，赶快去，别粘在这里，干活去。是啊，还有许多重要的活呢，在之前大概连饭都不吃、觉不睡都要干的活呢。现在可以放下，陪他玩。

二十四

下午，儿啼，抱了走"现场步"。累了，放床上，在床头给其舞蹈，先呆板，后灵动，最后花样迭出，像是一个专业演员了。儿子平时没有表情。但在我的感染下，渐渐有了表情，接着有了笑容，继而身子也动起来，最后四肢跟了我舞。

不多时就汗流浃背，好久没有这样出过汗了。妻激动地拿起摄像机狂拍。我还在跳，嘴里是口技，居然发出平时发不出来的声音。

159

最后累得实在跳不动了，到外屋吃饭。妻抱儿子出来。我吃饭，她看着，多不忍心。何时我们能共进晚餐，就好了。

二十五

儿子一边吃奶，一边尿，我居然就看着他尿，不敢打扰，就连尿也怕打断，也太过了吧？但就是这么看着。

平时他吃奶，我凑在一旁，若有人拍下来，一定是一幅觊觎相。

希望他睡着长身体，又盼望他醒来，抱他。怕他哭，又希望他哭，哭了可以去救他啊。把儿子从哭声中解救出来，和把儿子从尿水中解救出来，同样有成就感。

晚上，总是依依不舍，几出几返，舍不得离开他。

有时等不到他醒来，想抱他。

喜欢把我的脸贴在他头上散步的感觉。

喜欢他把脸埋在我的怀里睡去的感觉。

喜欢，等等。

安详银川

这一刻，我站在阅海万家十八楼的阳台上眺望贺兰山，有些不敢相信，这就是我生活了快十五年的银川，她美丽得有些虚幻，有些不真实，甚至有些非人间味。

在我和贺兰山之间，湖光和灯光交辉，悄然进行着一场光的交响乐。

这些年，因为我到处做志愿者，差不多走遍了全中国，北到漠河，南到天涯海角，也到过不少发达国家，还真没有看到过这种童话般的美丽画面。

突然觉得，银川的美丽是文学的。

她不像欧洲的城市那样老气，不像美国的城市那样肥腻，不像上海、广州那样洋气，不像丽江小镇那样媚气，独有一种安详气、文学气、芬芳气。难怪，一个个作家、艺术家，要从江南出发，到塞上成就。文有张贤亮，书有吴善璋，画有周一新，包括画坛黑马任重，在全国走了一圈，也最终定居银川，连同来自孔孟之乡的沈德志，等等。难怪，在这里，"十户之村，不废诵读"，大街小巷，全是书香；崇高之举频见报端，

163

善良之动多现银屏；全国性的诗会不断，世界性的交流正热；音乐诗歌节，万人参与；每年的赏月诗会，群众自由报名，同沐月晖，共浴诗情。

2014年初，银川市拿出巨资奖励尖端文艺工作者，同时大面积奖励了草根文艺工作者和书香大使，现在看来，这不单单是奖励草根文艺家，而是一次留根行动。

这一刻，我站在阅海万家十八楼的阳台上眺望贺兰山，有些不敢相信，这就是我生活了快十五年的银川，它美丽得有些虚幻，有些不真实，甚至有些非人间味。

神情恍惚间，我常常觉得，身边有无数的凤凰正在展翅，有无数的妙音鸟正在歌唱。西夏国孔子学院里的读书声仍在朗朗，那是中华大地上最早的孔子学院；党项人发明的活字印刷机还在叽叽，那是中华大地上最早的印刷车间。

有时，觉得银川就像一位美丽的少妇，黄河水像绸缎一样缠在她的腰间。

有时，觉得银川就像一位英俊的少年，太阳神像父亲一样把他抱在怀里。

突然觉得，银川的美丽是神秘的。

这一刻，我站在阅海万家十八楼的阳台上眺望贺兰山，有些不敢相信，这就是我生活了快十五年的银川，它美丽得有些虚幻，有些不真实，甚至有些非人间味。

贺兰岿然，长河不息；塞上江南，回族之乡，西夏古都，丝绸之路；黄河金岸，内陆港口，书香气韵，文学之乡；七十二连湖，心心相连，八十万同胞，亲如一家；爱伊河畔，渔歌唱晚，鸣翠湖上，鸟语花香。中国电影从这里走向世界，韩美林、周国平是她的荣誉市民。这些句子，已不知在全国各地讲了多少遍，但仍然觉得，这远不是我要表达的银川，当然更加无法代表此刻我心里的银川，我深深爱着的银川。

阅海万家，万家阅海，这是银川市的公职人员体会政府温暖的地方。目光从如林的楼丛里穿过，通过一扇扇窗户，随着一盏盏灯光，我把无尽的祝福送达。

这一刻，我九十岁高龄的父亲、八十四岁高龄的母亲已经安睡。他们对面是同样梦幻的霓虹灯海。这灯海，虽然没有老家小山村的安谧，没有老家小山村手可摘星辰的天人合一，但也足以启发他们对天地新的想象，这从他们的问题中可以得知。

一天，母亲说，小时候，你奶奶说，大山外面有一个花花世界，叫城里，现在，才知道什么叫花花世界。

我问母亲，花花世界好，还是咱们那个小山村好。

母亲说，各有各的好。

父母被接到银川生活已经一年了。当初，和父亲谈判的结果是在银川度过晚年，但叶落还是要归根的，我答应了这一点之后，父亲才同意到银川来。

165

但在张贤亮先生去世之后的几天，父亲的口气松动了。张贤亮先生遗体告别仪式那天晚上，我有意告诉父亲，张贤亮主席选择了火化，骨灰将安葬在影视城。然后试探性地问他，您老人家百年后，可否像张贤亮主席那样火化，骨灰也可以像张贤亮主席那样，随我走四方。父亲说，可以。口气是轻松的。

我不由得看了一眼父亲，父亲的脸上全是安详。

陡然间，一种无法言说的滋味涌上我的心头，既高兴，又感伤。我不知道父亲是出于什么考虑，这样轻松地回答了我的问题。因为在我心中，要让父亲的归属情感走到这一步，将是一个长期战役。

也许，是父亲真的相信了，有那么一天，我会辞掉工作，带着妻子云游天涯。父亲知道，在南京等地，有那么几位从事传统文化工作的好友，或者办了书院，或者建了学校，非常真诚地邀请我和爱人到那里，以院长或主讲的身份常住，所有的生活用度都不用我操心，特别是南京的那处，古色古香，安静又美丽，我和妻子看了之后，真动了心。回来给父亲说。他说，太远了，住在银川都觉得远，何况南京。

心想也是，真不能再折腾他们了。

但父亲显然认定我终有一天是要走四方的。现在，张贤亮主席把骨灰安置在他孩子每天上班的地方的遗嘱，给了他启示。

随之，一份无比深沉的感动涌上心头，父亲是以这种方式支持我走四方，他原来反对我出去做志愿者，妻子就让他看我的光盘，不想父亲由反对到支持。

我把父亲同意放弃叶落归根，视为对我将来云游天下生活方式的支持。

不由得，我的鼻腔就酸了。

话说远了，回到银川上。

我不能就这样挥别银川，西海固生养了我，银川成就了我。在这里，有那么多支持我的亲人，关怀我的领导，照顾我的朋友。在这里，有我十五年的光阴，连同十五年的梦想，还有那些牵挂在心头的人事，甚至一街一巷。

每当乘车经过老市委大楼，我的心里就会一动。刚从西海固调到银川，我就住在市委大门楼上的一间房子里，虽然如涛的噪音常常让我彻夜难眠，但是现在想起来，心里却是如此的温暖。还记得，每当周六周天，那位点名调我到市里的领导会到单位加班；还记得，有位好心人把买好的饼子悄悄放在我的门廊上。

每当乘车经过民族南街，看到水利家属院，我的心里就会一动，在我过了几年单身汉生活后，在领导的关心下，妻子终于调到银川，儿子也正好从固原一中考到银川一中，我们一家就在这个院子里租了套房子住。在那里，有妻子留下的柴米油盐的味道；在那里，有儿子留下的欢声笑语。

一次，会见完一位朋友，回家时，不觉走进民生巷，不防，被一阵伤感击中。那是银川市文联当年办公的地方，对面的几家面馆，是我下班后常常光顾的地方。陡然间，我的眼泪居然出来了。我意识到，已经好久没有来这里了。我信步踏进那个小院，伫立在那里，让感伤伴着思绪流淌。

现在，我已经十分稳定地生活在银川，不但衣食无忧，而且被人关怀，受人尊重，并且能够放开手脚做自己喜欢的事情，这该是一种怎样的福气。

更让我欣慰的是，每天下班回家，一进门，还能够叫一声老爸和老妈，吃到老母亲做的饭菜，蒸的馒头，烙的饼子，这该是一种怎样的福气。

此刻，夜已安静，让心灵沐浴在这美丽又温情的万家灯火里，觉得整个天地都被感动装满。

才发现，我是如此深沉地爱着这片土地。

记忆的影集一页页打开，我才意识到，在这个小城里，有那么多值得我怀想的人和事，大大小小。我才意识到，他们已经成为我生命的一部分，我是如此在乎他们、爱他们，包括那些给我端过面的小服务员、理过发的美容师、修过自行车的师傅，我都是那么怀念他们。

现在，我的心里只有一个声音，我爱你们。

父亲大概没有想到，他的晚年要在这个小城度过，更没有想到，终有那么一天，这个小城的几尺泥土，将要把他拥抱。

同样，我对将要接纳父母的那方泥土，充满感激。儿女再有孝心，也无法让父母长生不老；儿女再有能耐，也不能替代收容父母遗骨的那方泥土。

那方泥土不过三尺，但对于一个生命来讲，却是故乡。

想象着，有那么一天，我老了，同样站在银川的某一栋高楼上，抬眼就能够看到父母所在的某一家陵园，我的心里该是多么安慰；想他们时，就到他们脚下，静静地坐一会儿，那将是多么安慰。

不由得对妻心生感恩，父亲之所以这么快在情感上接受了银川，是和她这一年升级版的大孝行动分不开的。

当年，问父亲，世界上最好的地方在哪里？父亲说，粮食湾。粮食湾是西吉县将台乡明星村七组，是父亲出生并生活了一辈子的地方。曾经多少次，我把父亲接到银川来，住一段时间，他都要嚷着回去。有一次，我不送他回家，他居然像小孩子一样用绝食逼迫我，我只得把他送回去。回到老家，他逢人就说，银川，一个让人受罪的地方。

现在，父亲大概不会再这样说话了。母亲更加可爱，她以让我们吃惊的速度接受着新生事物，已经学会了打手机、用电磁炉、电饭锅、电热器，等等。能叫得上不少亲戚朋友还有同事的名字，也知道了什么是清真，什么是穆斯林。

既然选择了这个城市作为归宿，他们就要努力地适应它的味道，融入它的气息，为此，父母都在做着让人感动的努力。

眼看着父母的精神头越来越好，每天生机勃勃的样子，就更加不用担心他们会变卦了。

此刻，我终于理解了一个词：落点。父母的落点是银川。我不知道自己是否也要落在这里，但我知道，这已经是一个让我魂牵梦萦的地方。

写下以上文字不久的一天，路过老百货大楼旁边一个小摊，看到一位大哥正在捧读一本书，书被牛皮纸包着，走近一看，竟是拙著《寻找安详》。可以想象作者本人当时的激动，差不多把那位大哥的核桃全买了。

回家的路上，一个词跳出脑海：安详银川。

许多问题一下子有了答案：

不少地方之所以不安宁，正是因为不安详。"满堂珍藏不及身心安泰，万千事业何如家室平安。"当大多城市把兴奋点放在"满堂珍藏万千事业"上时，银川的心思则在"身心安泰家室平安"上，为此，就有了安，有了详。

上上届市委领导说，要像办大银川一样办大文化。

上届市委领导说，要像峭然贺兰那样反浮躁，要下气力提高市民素养。

本届市委领导说，文联的同志能办多大的事，市委市政府就给多大的支持。兰州的《读者》以转载取胜，银川的《黄河文学》要以精神坚守取胜，并批示让全市领导干部阅读其中的华章。

安详，就这样，同富裕、和谐、开放一起，在银川生长。

最近，一直在想，到底是什么，把父亲留在这片土地上。

现在，我终于明白，正是安详。

蛋黄色的办公室

描绘这种情景，不敢动用写惯了公文的笔。我只能说这是黄昏，太阳的一只脚还没有从山头迈下去，善解人意的窗户将蛋黄色阳光的余息悄无声息地笼罩在办公室蛋黄色的静物上、粉白墙上，营造出一个无比静谧、一洗人间烟尘的梦幻世界。说是仙界没有仙界的灵动和烟岚，说是人间又没有人间的嘈杂和浮尘。

门反锁着。地早擦过。

黏稠又飘忽的时间被缩短又拉长。

短于无，长于无。

恍惚中办公室已移交给了另一个世界，但又找不见他们是谁。是一种感觉，一种即使最天才的诗人也难以描绘的感觉。总觉得她随时会飘起来，或者已经飘起来了，我真担心她会"黄鹤一去不复返"，或者长眠，再也叫不醒。

反正，我流泪了，不知道是出于感动还是别的什么。

只恨我不会画画，要是能涂几笔就好了。而且是蛋彩，只能是蛋彩，除此，一切语言都显得苍白无力。

倚窗而立，面对这些恍若隔世的静物，仿佛躲进了一个走空了人的教堂，黄昏时分蛋黄色的教堂。白天嘈杂不堪繁忙不堪复杂不堪的办公桌、椅子、窗户，甚至文件柜，一时都睡着了，或者说被一种看不见的风轻轻抹去了。

一种幽冥的东西接过了时间的钥匙和公章，水一样暖洋洋地散漫开来，制造出一副无比宁静的睡相。白天被钥匙骚扰得疲惫至极的锁子，酣眠如婴，仿佛要睡那么几百年。

总觉得那锁子不是一块铁，柜里锁着的也不是头儿们签发的用铅字打出的白纸黑字的文件，而是一种悠悠上古的一打开就如轻烟一样飘去的东西；或者是被谁忘记在这里的一段旧情、一个百年故事、一个不安分的精灵；或者什么也没有，只是因为有了门就需要挂个锁，正如有了办公室就需要有一个柜，有个柜就需要一个守柜的秘书，有个秘书就需要有个主任……

下班时擦得极净的水泥地，因宁静而宽阔，如傍晚的大海。

墨水瓶静静的，其中的蘸笔静静的。

日月还在今天停着；电话也如泊岸的船；茶叶盒和暖瓶已离开了人间水火，成为时间逝水中的两个容器，打开盖子，里边一定不是茶叶和用煤烧开的氢二氧一；茶杯飘逸出一股仙气，恍惚间似有仙人举杯相邀，我十分清醒而又万分迷醉，仙人的胡须如杨柳撑在我的心中，我为仙人倒水，仙人哈哈大笑，暖水瓶中什么也没倒出，仙人却说杯子满溢了。

173

白天的喧嚣和繁乱，窗外的热闹和浮躁如一个乒乓球拍将我扇到这幅不知谁的妙笔涂抹出的蛋彩中。在我怀疑我是否存在时，强烈地感到我的存在。我的呼吸如狂飙从我生命的水面上刮过。

　　懒得干一切事。总觉得一切都太遥远太短暂太没意思，奋斗太费时间太耗神太虚荣，消遣太浅薄太无聊太无味太倒胃口，灵魂早已消融为一缕蛋黄色的烟雾，涂在四周的粉白墙上，栖息在蛋黄色的地板上，化在没有任何生命躁动的空无中，最后静泊于宇宙的风港云台。不愿打开书，尽管眼前的书很著名；不愿思虑，尽管有许多事情要想。欢乐也好，忧愁也好；善也罢，恶也罢。不愿喝茶，不愿抽烟，不愿挥动肤浅无聊的笔，一切声响、语言，包括思维都会打破这天意般的静谧和安详。这太阳不经意生产的一个处子，时间随意留下的一个脚印，上帝不小心遗失的一块手帕，光阴的风暴过后的一片沙滩，月亮的潮汐平息后的一方港湾，卸装之后走下戏台的一个面孔。

174　　我只愿躺在这蛋黄色的时间的屏风背后长睡不起。

　　我知道我留不住它，当那种蛋黄色的影子悄悄溜走时，办公室又变成了实实在在的办公室。

　　我不喜欢这种实实在在。我愿意永远留在刚才那种恍然如梦，微醺薄醉而又空空如也的世界里，变成一缕风或者一段蛋黄色的时间、一种色调，什么也不想、不做、不求、不怕。

夜幕如潮似的卷了过来，不可抵挡。蛋黄色的影子扯走她的最后一方裙裾。我闭上眼睛以期随她而去，既然不能恳求她留下。

然而一切都无济于事，我看见我的胃里是一包实实在在的土豆丝。我清清楚楚地记得我刚放下海口大碗。

特别想抽烟。睁开眼睛，才知道刚才看到的一切其实是我黄昏时分的一颗蛋黄色的心。

办公室还是那个办公室。

生命之河

似乎沉思着什么，又像在讲述着什么，娓娓地。这泛着微澜、缓缓东去的，就是古老的黄河？就是自天而来的黄河？

船在黄褐色的水中行驶，按理说，我应该感到兴奋，感到喜悦，因为这是我平生第一次泛舟黄河。然而，当马达响起时，我却感到了一种彻骨的遗憾，柴油机用声音和速度生产的遗憾。要是一叶木舟，或者羊皮筏子，让自己亲手去划，到了河心，静静地停一会儿，那该多好。一时间我觉得自己被这机动船给敷衍了，耍弄了。我成了一位乘客，而不是艄公。乘客总是悲哀的，被别人摆渡是悲哀的。自由的是河上翻飞的燕，而我，却在船上。我不会游泳，只好在船上。

阴郁的心底刮起一阵风。艄公的草帽如一种充满个性的思想随水漂去。在它落水的刹那，我心中的一件东西也随之落水了。明明看见它就在草帽上面，却说不出它是什么，只感到很激动，心中的黄河为之奔涌。

艄公掉转船头，去追草帽。我趴在船帮上。草帽到了我的手边。我热情地伸手去抓，又热情地放它而去。船再次掉转方向去追，我心花怒放。恍惚间我觉得那草帽很古老，很神秘，渐渐地就觉得它不是一顶草帽了，而是一个从远古流来的传说，从天际飘来的一缕意绪，或者别的什么。最后，竟觉得它就是自己了。

就在这个念头闪过的刹那，草帽又到了自己手边。猛回头，艄公阴冷着目光向草帽走来，我一伸手，草帽又回到了艄公的头上。草帽本来就应该在艄公头上。艄公需要草帽。既为遮风挡雨之物，就得遮风挡雨。

太阳躺在黄河上分娩，一河的太阳崽子。

我在渡水，太阳在进山。幻觉中听到太阳在讲什么。我没有听懂，却感到心里很沉重。

彼岸渐近，恐惧渐近。船靠岸时只觉得一个精美的器皿被打碎了，一个迷离而又美妙的梦被惊破了。美在过程中。我不愿意上岸，却不得不上。

回首，来路那端的夕阳很辉煌。又觉得回首还是相当地有景致。

蛙声四起。我伫立在岸边，送夕阳下山。这时，我感到了一种壮烈。我想到了生和死。我说不上太阳在生还是在死，也说不清到底是死壮烈还是生壮烈。黄河是一汪激动的血泊。生是血，壮烈的死还是血。

蓦地发现同伴已经不在，却看到一位扳罾的老头。老头自然没有像我这样胡思乱想，他在专心地打鱼。在他的脑海里，也许只有鱼的数量，我便觉得自己很傻。

为过河而过河。

落霞似一金曲的余音飘绕在地平线上时，船回转了。暮色中行船更使人思绪缤纷。我求艄公放慢速度。这时的黄河分外宁静和空阔，微微的细浪制造着恬淡。河面似乎被暮色延伸了，正如思维一样。

这时，同伴拿出酒杯，强邀了艄公斟饮起来。暮色在酒杯中醉眼蒙眬，艄公的心事在酒杯中醉眼蒙眬。他索性息了马达，任船随水徐行。那船就漂进流逝的河中去了……

摆渡了一辈子别人，却永远没有摆渡得了自己。艄公似乎在自言自语，凄然如同严合的暮色，忧伤宛如初升的弯月。我们原以为他会说下去，都住了酒杯，等待着一个或凄厉或悲壮的船帮故事。然而，就在这时，他却一仰脖尽了杯中的酒，说，走！

假如没有艄公呢？船至河心时，一个同行说。

假如没有船呢？另一个说。

假如没有河呢？我说。

我的心里不由得一阵感动。我将一杯酒洒进河中。清风将酒香传播开去。眼前便有人影开始晃动，喧嚷而又幽冥。那位把酒临风，横槊赋诗的不是孟德吗？那位布衣薄衫，面容憔悴，连一杯浊酒都喝不上的不是子美吗？太白任一叶扁舟在水上漂荡；东坡纯粹醉卧舟中；季陵虽然更上一层楼，终叹道，春风不度玉门关；祖逖击着船帮，击起一片讪笑，但仍在击……他们是在摆渡什么呢，还是被什么摆渡？蓦地，他们腾云而起，一齐向我招手。我分辨不清他们是在向我召唤还是交接什么。

这时，船停了，面前是坚实的码头，我才知道他们是送我上岸，我感到了一种沉重的轻松，一种欣然的悲凉。当脚落在地面上时，我觉得地面太实在了。

我也很实在。

再次回首，对面的渔翁已经隐约成一个黑点。灯火一点点亮起，如同思绪。

而河，仍在流。

我是一杆什么笔

深入贺兰山，其实是深入石头。

石头是冰凉的，尽管是炎夏；石头让我感动，尽管被柏油路和现代交通工具宠坏了的脚板早已叫苦。

树还没有长成气候，只是一种点缀，而这正好突出了石头。

为了认识石头，我摘下了有色眼镜。

山顶青雾缭绕，如同一种情绪，从遥遥上古流来。我的心是一个盆子。我不敢说话，我怕稍不小心就会打翻盆子。同行的欢声笑语这时听来恍如隔世，古怪而又陌生。

我尽量磨蹭在后边，为的是保卫自己的一种心境。

才知道真正的旅游是多么孤独，我是多么希望身边有一个知心的朋友，能够帮我端好盆子而不将它打翻或搅浑的朋友。

然而，今天没有。

我将孤独折叠起来，上路。

石头是无处不在的。

无处不在，就成了山。反而让人忽略了石头的具体。石头貌似散漫，似乎表达着一种极大的自由，而又那么富有秩序。石头似乎并不在乎自己的位置，一派道家风骨，那么坦然、宁静。我真纳闷，这些石头怎么就不躺到舒适的城市或者平川里去呢？

等同行远去，我偷偷买了炷香，为太上老君点了，并且极其虔诚地磕了头。这倒不是我一定要走他老人家的后门，而是感动于他的宁静淡泊。在世人疯狂地追金逐银的今天，他仍能一如既往地隐居山中，将心变成一颗冰凉的石头，这该是一种何等的超脱。

从老君庙出来，一阵刺耳的乐声摇滚而来，有着很强的霸道味道。原来前面是一个小亭子，在几条路的汇合处。无法逃避。各种饮料横亘着，同样无法逃避。这种曲子，不知太上老君是否听得惯；这种饮料，不知太上老君是何见地。

倒是送子娘娘的香火更要旺盛些。

同行在一个阴凉处歇了。我却决定爬笔架山。这个决定是在我一听到这个名字时就作出的。

做一次真正的笔。才知道做一次真正的笔是多么不容易，需要带盐的墨汁和孤寂。

终于搭在那个笔架上。笔架以无比庄严的气势打量着一望无际的平川。我说不清它在欣赏自己的杰作，还是在面对方格稿纸凝神遐思。

这时，我从未有过地强烈感受到，什么才是真正的笔杆子。

笔杆子是一种汗水的高度，一种孤独的高度，一颗摩天的头颅……

我是一杆什么笔呢？

我头上的狼毫在风中根根耸立，红色的墨汁在体内奔腾喧嚣。

四面陡然低落的笔架山异峰突起，显然无比孤独。不知是何人将她置于此地？又到底是等待一杆什么笔？又是为谁恣肆胸臆做这千年的铺垫？

塞上明珠莫非就是她的点睛之笔？

躺在被时间打磨得无比光滑的石头上，静静地将自己变成一杆笔。夏天，我的头上冷汗涔涔。你是一杆什么笔？笔架山知道。它是一杆秤啊！

做一支真正的笔。

而要做一支真正的笔，就要先将心变成石头。

也许世上最能保持自己的就是石头了。

对石头来说，日月星辰也好，风雨雷电也好，同是一件衣裳。

不是金子。

金子可以穿过时间，却穿不过世人的心。

身上白云悠悠，身下笔架巍巍。我不知停留在时间的哪一截，又是为哪一篇文章而来。

既然是一杆笔，就得离开笔架。

再回首，迎着的是笔架山深情的目光。我不知该以一种什么方式向她告别。

山水写意

荷花沟

荷花沟最大的特点在于它一贯的绿，那种压迫得人喘不过气来的绿，那种一尘不染的绿，就是偶尔有那么一两株红桦点缀其中，也是那么蕴蓄，让人丝毫想不到衬托之类的概念。总之，荷花沟不允许你乱加形容。荷花沟只属于眼睛，不属于话语。

行进在一条绿色峡谷中，你的身心被清凉的绿色过滤。你的所有思想都被染成绿色。你被绿色挟持了。最后，你成为峡谷中的一棵树，而物我两忘，荣辱不惊。你的精神渐渐进入一种定态，一种绿意充盈的定态。你才知道一些高人为什么要到深山中修炼，你开始相信济公曾在这里得道的传说。

你被一种彻底的安详所包容，所感动。荷花沟的安详源于它的无欲。你看那些树，那么密集，但是你无论如何都看不出它们之间的排挤来，你也很难看出它们哪一个正在为职务、职称、工资、住房等一应事情所烦，你更看不出那些百年老桦在给哪棵幼树"摆姿态",或者为哪些小树在它们上面而不平。鸟儿在它们头上唱歌,它们也不恼怒;金鸡在它们身下筑巢,它们也不担心。它们在风中歌唱但从不收门票什么的。它们为所有喜欢它们的人演出,从不挑肥拣瘦。它们不因为外宾来就奴颜婢膝,也不因为柴夫上山就不予理睬。

　　和这种安详相呼应的是荷花。荷花把向下流着的水变成一种向天的姿态,变成一个向天的绿吻。和江南的荷花不同,泾源的荷花让你从未有过地感到它是那样地和水如影随形。可以说,有水的地方就有荷花。我们没有走到水源,但我坚信,水的源头一定是荷花的源头。荷花给人的感觉依然是安详。同牡丹、芍药等花卉相比,荷花更有道性。我盘腿坐在一大片荷花中,将心交给水,希望得到荷花的点化。

　　然而荷花毕竟过于淡泊。在荷花沟我最后被一顶开在炊烟中的"荷花"灌顶。我敢说在荷花沟人们看见一缕炊烟时的惊喜一定和看见天空飞过一尾鱼差不多。在一个人迹罕至的地方,我们被四面持久的绿弄得有点疲倦的感觉终于得到了敲击。我们向着炊烟升起的方向奔去。

　　原来是一堆野火。野火的旁边有铁皮水壶、瓷杯。水壶里有水,瓷杯里有茶叶,却没有人。不远处有一树枝依崖搭成的草棚。草棚里有炕,炕上铺着麦草。在人们喝茶的时候,我睡上去,觉得天地间真正的席梦思,还要算这幕天席地的去处。我想,这炕的主人一定是半个仙人。每天他躺在炕上看着一堆红火摇曳在扯天扯地的绿色中，不知该是一种怎样的心境。他一定认为那一堆篝火，就是这个世界上最动人的荷花。

凉天峡

进入凉天峡其实是进入树。那种让你忽略山的树，忘记其他一切存在的树。凉天峡的树让你的思想无能为力。在它空气一般的笼罩下，你的思想只能是一个带雨而翔的燕子。你的燕子无法穿透一个词——"森林"，你平生第一次对"森林"一词有了彻悟。凉天峡的树横空而来，绝尘而去，兀自一个世界。

我不知道凉天峡这个名字所包含的特定意义，但和荷花沟显然不同的是，凉天峡让人感到忧伤。如果将荷花沟看成一个道士，那么，凉天峡就是一位诗人。凉天峡的忧伤缘于不时出现的红桦。面对红桦，你一定会认为它喝醉了酒，要不就是因为一腔热血无法倾诉。因此凉天峡让一帮文人差点晕倒，他们只差没有抱了红桦放声大哭。

在向林子深处走去的时候，我们发现了一道红光。

走近去看，我们都惊呆了，是一株巨大的倒下的红桦。它的姿态、颜色都让人想起一个倒下的新娘，或者一团凝固的火焰。因了这种倒下的姿态，才有一片天光豁然进来，为它平添了一种迷离的效果，有种贵妃醉酒的味道。我们不知它在倒下的一刻是如何的心态，但我们差不多都同时想到了悲壮之美。为什么就它独独地红在一片白桦中？红在这个不通人烟的地方，没有歌楼酒肆烟花柳巷的地方？莫非也同我一样厌了滚滚红尘，倦了喧喧闹世？不可想象，如果整片树林都是这种红色，那该是一种怎样的情形。久久地，我们谁也不愿离去。

因了它，凉天峡陡添了悬念和戏剧。

同样具有悬念效果的是和这株红桦遥相呼应地造就了凉天峡阳刚之势的几块石头。同红桦一样，几块石头之所以牵扯人的思绪，还是因为它的独异。在一个树木封锁的狭窄的峡谷，突现一片阔可走马而又没有一树一木的平地，平地上又兀地摆着一块打有人迹的整个峡谷独一无二的非集体不能搬运的巨石，巨石上又分明地有一个一寸口径的深洞，这就让你不由得要相信这里的确是成吉思汗的练兵场，而那个深洞自然是他插旗的地方了。我们去的时候，旗杆洞里正蓄着水。我们不知道这是否就是凉天峡叫凉天峡的原因，但起码让人感到了一种历史的清凉。物是人非，留下的只有石头，以及一些只有石头才能承担的传说碎片。

果然，我们的思绪还没有撤离练兵场就被无比葱茏的树木浸渍、淹没。

汽车从绿色中开辟而过，我用被树木染成绿色的眼睛看了一眼那团红雾和透着白色天光的练兵场。

花 事

开花的春节

开开门，就有一股清香扑鼻而来。

是那种来自自然深处的没有丝毫做作的清香。

进客厅一看，才知是茶几上的那盆水仙以一种灼人的姿态盛开了。

我的心里不由充满了感动。水仙居然将花期选择在我们回老家的时候。

我们是腊月二十八回老家的。回家的那天，我特意给她添足了水。添水的时候，我丝毫没有注意到她要开花。今天是正月初六，仅仅一个星期的时间，她就出落得这样美丽，美丽得让你心里无端地生出一种绝望之感。

让我想不通的是，水仙为什么要将她生命中最为得意的时刻，选择在她最为知心的观众离开的时候。整整一个冬天，我们都在等待她开花，但是她偏偏没有。在这七天里，她却盛开了。如果我们把她的出蕾看作是一次分娩，那么，这个分娩则是在寂寞中进行的；如果我们把她的盛开看作是她生命中最重要最灿烂的一次展示，那么，这个展示则是在孤独中进行的。

无人喝彩。

没有掌声。

一切都在无比的寂静中进行着。

即使窗外偶尔传来的几声鞭炮声，也是别人家孩子的心情。

我不知道，我的水仙该是在一种怎样的心境中，从箱底一件件拿出她的金冠银裙，兀自戴在头上，穿在身上。

我不知道。

我只知道在这七天里，我在争分夺秒地给人拜年。

就在我步履匆匆地穿行在人间街衢上的时候，我的水仙却在专心致志地开花。超然于一种选择之外，看来，她要比我成熟得多。

尽管水仙无言，但是她分明在说，舞台就是舞台本身。

也许是为了弥补一种遗憾，或者是出于一种敬仰，我拿起洒壶，打了一壶水，怀着一种特别的心情，开始这个春天最为虔诚的一次沐浴。

水仙则以一个战栗以及战栗之后蓬勃的芳香表达了她的感激。

那一刻，我在想，对于水仙来说，开花也许只是对一杯水的报答。

由此，我又想到，开花，仅仅是开花，而且只有开花，从来就没有什么观众。

花 伞

立秋前一天，我在房子里坐着，却被雨打得很湿很湿。

雷声一直没停地在天上滚着，强渡长江似的，让人担心天兵天将正在惩罚什么。少见的雨乘了少见的风，在空中撒欢翻跟头，在房顶上毫无规则地东奔西驰，一贯的瓦沟失去了效应，地上的水变成白花花的雾，一茬一茬地赶趟儿，院子不一会就成了湖泊。

不知为什么，我开始坐不住，刚一开门，就有雨墙乘机抢进来。只好临窗，打量着老天爷惊心动魄的行动。

雷声越滚越重，风将天地甩成麻鞭。

突然我觉得无比孤独。

不由得想起我的亲人、朋友……无论谁，只要在身边。

但没有。

正好是星期天，院子里空空荡荡的。

似乎在向世界宣布着什么，提醒着什么，只有无边无际的雨声、雷声、风声……还有我的心跳。

总觉得每一个雷声都是奔我而来。我想起小时候老人说

191

谁谁谁做了亏心事，被雷将头殛去了，一大堆娃娃在一个炕上，只有那个做了亏心事的被雷将头殛去了。

我尽量回忆着我是否做过什么亏心事，想起了一些，但不知算不算亏心事。

总之，我很孤独。

我开始后悔，后悔我的固执，总是将自己弄得像孤鬼一样。

我希望有人在这时冲进院子，我会将门打开，给他毛巾，给他衣服……

但没有，院子在一片喧哗里静默着。

一院喧哗的静默。

这时，我看见了一朵花。

那是一朵刚开的牡丹，它是怎样地躲避着、反抗着，但最终，被雨珠一片一片敲落了。

我的眼睛潮湿了。

多么美丽的一朵牡丹啊。

谁让你不是松树呢？

谁让你不像我一样待在房子里呢？

我从未有过地觉得房子是那么亲切。

房子静静地守护着我，如同我的娘。

躲在房子里，我可怜着牡丹。心想，牡丹怎么就不到房子里避雨呢？又想，怎么不给牡丹打个伞呢？

这样想着，雨却停了。

丢 失

一个人住进这个屋子之后，我只置办了一床一桌一椅，留下大片的地面，并打算保持下去。要说也并非完全是因为拮据。

和一种心境有关。

早晨起来，可以在宽阔的水泥地上活动筋骨，伏案久了，可以信步放神。

更多的是反转了椅子，独对一片空地。让思绪空茫而富有，富有而自由，自由而旷怡。

因了这种空，往事才可以破尘而出；因了这种空，心事才可以展开脚步……

因为没有多余的凳子，客人来了，主人便伫立奉陪，客人也便不敢贪坐；因为没有多余的床，因而也少了留宿的麻烦。

这种习惯保持了好长一段时间。

破戒的是一组沙发。

莫名其妙地想买一组沙发。

就在一个沙发摊前徘徊了足足一个月。

回屋看看空地，又去看看沙发；在空地上走走，在沙发上摸摸。

当那组沙发终于在屋子里"落座"时，我觉得一件什么事结束了。

躺在舒适的沙发上，眼前的空地显得有点苍白和轻淡，甚至在一段时间里，我竟忽略了它的存在。

我的屁股落在舒适上，落在和空地迥异的另一种得意里，尽管不是最好的沙发。

后来我就躺在沙发上睡着了。

一觉醒来，有人敲门，一反既往，我麻利地开了门。并且说，请坐。同时手向沙发指了指。

接下来，又买了一个茶几，是为了配沙发；又买了烟灰缸和茶具，是为了配茶几……

后来，我再不能黑了灯在屋里行走了。一天，当我不防被沙发绊了一跤时，我发现有一件事情结束了。

等待十一点

自从在这儿工作以后，我就等待十一点，每一天。十一点是一个湿漉漉的时刻，每当这个时刻姗姗而至，我的一种心情便乱了脚步，工作中的许多差错就在这个时刻产生。

十一点邮差来送信。

是否有我的什么？

有什么呢？细细一想，不会有谁寄来什么，即便有朋友记起你，信封里一定装的是"金锁链"。

人一成家，同学之间的那种傻乎乎的情谊和痒丝丝的思念都变成了"金锁链"。除了妻子儿女和钱，真可谓"四大皆空"，没有什么能够入脑入耳入梦，也无花也无果，也无蜂也无蝶，只有一家的树枝上挑着一天比一天苍老的日子。

一次，邮差将一封大学女同学的信交给妻子，惹得我被提审好长时间，也不知是哪位写来的，也不知信里说了些什么，从老婆的气色上看，说不定那信挺有意思的。

为此，我请了邮差老兄一顿羊肉馆子，让他无论如何将我的信交到我手中。但从此却没有哪位女同学为我写信，就连"金锁链"也没有。因为久不写稿，连一家报社定期寄的内部通讯也中断了。

但是每到十一点，还是急切切地等待邮差那声似乎比儿子喊爸爸还要亲切的敲门声。希望有奇迹发生，希望有一封写着自己名字的信或者别的什么，即便是"金锁链"也好。

但大多还是失望。

失望之后，心想，本来就没有什么。就拿出心在一种怅然的风中晾晒，才发现心还是湿的，还有许多莫名其妙的等待和企盼，等待得莫名其妙，企盼得莫名其妙。莫名其妙之后，我惊奇地发现这莫名其妙真有点莫名其妙。

有一天，在大街上遇到一个退休老头，寒暄过后，他问，单位有我信吗？我想说没有，因为确实没有，但不知为何却回答说，我没有注意。

老头说，我去看看。

我说，你去看看。

是的，去看看，有没有又有什么关系呢?

看着老头远去的背影，我想，什么时候才能不理会这些呢?

又是十一点，窗外，可爱的邮差如期而来。我的一种心情如期而来。

重温一串脚印

每次去母校，总要去操场的。在那条笼罩在落日余晖中的跑道上，细心地迈开每一个步子，一种遥远了的生命体验就强烈地袭上心头。血管里就一阵阵万马奔腾，脚底就不由得奇痒难熬。

你差不多和枪声同时飞出起跑线;你胸有成竹地调整着步幅和倾斜度;打了钉的跑鞋将大地化为你的力，你很快刮成了一阵风，你遥遥领先;你将生机勃勃的肌肉和技巧发挥得淋漓尽致;你将一种精神发挥得淋漓尽致;一首燃烧的歌飘荡在大草原上，飘荡在男女同学们的心上，同学们的热血被你点燃;同学们的目光便如琴弦颤动，汗水在阳光下闪闪发光，生命在阳光下闪闪发光。你感到一种无法言说的痛快。这时，你来不及思考，但你感到什么样的人生才是真正的人生。你的整个生命都变为一种生机勃勃的得意，一段虎虎生风的幸福。

终点就要到了，你启动双腿犹如启动两座山。两座山开始游说。这时，你只要松一口气，在脑海里闪过哪怕只有一丝懈怠的念头，两座山就会如尘土般散落在地上。终点就要到了，索性由腿去吧，反正第一名是你的。但现在的你已不属于你自己。同学们的目光是血，呐喊声是风，你意志的帆被大风鼓满；你的步子迈得更大，速度更快，你在和另外一个你比赛。

冲刺！

你如一支响箭射出终点。喝彩声如潮涌起。你被潮声托着，装点着。你慢慢降下速度。你一步一步地体味潮水的滋味，咀嚼甘甜如琴声的目光。你谢绝了好心同学的搀扶，你觉得这时接受友情是一种屈辱，尽管你是多么想靠在同学的肩上。你不愿意马上停下来。阳光很好，风很好，潮声很好。

勃勃肌肉不让你马上离开它们。

于是，你就那样穿着背心短裤躺在草坪上，很久，很久。

这时，一个你并不认识的队员从你身边跑过，你情不自禁地喊了声"加油"，尽管那声"加油"好像是从海底发出来的。将别人给你的鼓励又给别人，你感到一种从未有过的幸福。

啊，跑道上的人生！

暮色浓重如铁，椭圆的跑道没有尽头，记忆没有尽头。我悲哀地看了看业已萎缩了的肌肉，连同萎缩了的日子，一丝凉意袭过，变成一个寒战。

子在川上曰

我实在无法描述乍一发现它时它带给我的惊吓。我只知道我的心被季节抽了一下，顷刻间不可遏止地发黄。

事情就这样不容分说地发生了，我眼巴巴地看着，却没有丝毫办法。我第一次懂得了当年老师在课堂上怎么也讲不明白的两个字：无奈。

那是一道浩大的逝川之水走过后留下的宽阔得无法涉渡的沙河；一条上帝偷偷打上去的再也解不下来的铁索，尽管它是那么细那么细，粗心的人简直可以忽略过去。

但是，我还是看见了它。

它给予我的惊吓胜于突兀闪现在眼前的一条蛇。

我的手剧烈地颤抖着。

三十年修筑的生命工事，不防竟被一张照片压垮。

我差不多无力仔细地打量一下这条皱纹。

我的心顷刻一片酥脆。

198

我知道这是防不胜防的光阴向我的第一次正式挑衅，也是我生命的大后方向对方竖起的第一面白旗，接下来马上就会有第二面、第三面……

　　有什么办法呢？我生命中最嫡系的部分开始反戈，我已被束手，除过眼巴巴地等待就擒，还有什么办法呢？

　　接下来就有一种液体从那条线上逶迤而过。而液体最终是液体，永远填不平生命的沟壑。

　　一件很近的事情就要到来了。

　　八年前，当我第一次拿起刀片时，就发现它已经虎视眈眈地向我走来。

　　那是一次偷袭，敌人是在不知不觉中登陆的。不用说，我同样只有无奈。我眼巴巴地看着对方在我的领土上布置下黑压压的兵力。我奋力杀敌，到头来才发现输是注定的。这种攻势没有对手。

　　就知道有一种收割生命的力量比刀片还锋利。

　　敌人杀回去一次又上来一次，杀回去一次又上来一次，而且频率越来越快。

　　敌人用的是持久战术，刀片太无力了。

　　那是我首次体会到真正意义上投降的滋味。

　　当我按照父亲向我传授的经验：第一次向脸的下半部分抹上香皂，敷上毛巾，然后胆战心惊地将刀片搭上去时，眼泪就不由得唰唰落下来。

生命中有一种多余的东西需要冰冷的金属来收拾。刀片走过，脸上就露出一片虚假的洁净。我知道真正的洁净没有了，我知道生命自从需要打扫就开始向回走了。

就在泪水迷蒙了我的双眼时，刀片趁机在我的脸上弄出一个口子来。我的眼里一片红色，我知道我是站在茫茫逝川上进行了一次鲜艳的祭奠。

二十岁生日那天，我怀着一种无法言说的心情推开商店门，磨磨蹭蹭地踅到卖刀片的柜台前。

之后，就常听见妻子唠叨，你不大扫除就别上床。每次出差回来，美其名曰给我买的礼物也全是各式各样的剃须刀。

大扫除就像运动一样进行着。

多余的可以打扫，那么残缺的呢？

我努力平静着心气，放下照片，拿起笔，顺着那条很细的皱纹，写道：

子在川上曰……

想起了旧房子

说搬就搬了。

生怕耽误了什么似的。急急忙忙地赶回家，开门一看，屋里什么也没有，只剩下一种类似于催泪弹的东西。

就这样搬走了，说搬走就搬走了。

我没有赶上，没有赶上一次送行、一次出发，欠了这屋子一大笔债似的。怅怅地立在空屋子里，才知道人生不过是几件家具而已。

有一种声音隐隐传来。

是空屋子在说着什么吗？

说不清楚。但是有一点是肯定的，那就是这种声音马上就会属于别人。

不禁有些类似失恋的惆怅，让人难以承受。

在这个屋子里生活了这么多年，我留下些什么呢？

值得搬走的都搬走了吗？

没有，有些东西是搬不走的，比如故事。

但也留不下的。故事是一种记忆，记忆是人，而人，只不过是一叶浮萍。

　　就这样，在屋子里怅立了很久很久。但终是无可着落。走吧。

　　没有忘记将自己贴在墙上备忘的纸条撕下来，新主人看了会笑话的。

　　房子还是这个房子，人却要换了。那么，先后住同一个房子的人又有什么关系呢？

　　这个曾给过我无限温暖和安全的房子，曾滋生过掩盖过许多故事的房子，将要与之分别了。这把钥匙将要属于别人了，将要为别人打开一些新的故事了。此刻，她该是一种怎样的心绪呢？

　　我承认我赶向新房子的心情更为急切。

　　赶到新房，刚帮完忙的人正在吃饭，过节似的。老家具们神气地坐在新房子的相应位置上，一下子气派了许多，年轻了许多。还有人也是。家具因宽敞和新鲜而气派，人因气派而气派。

202　　让儿子写日记，平时让写几个字很不容易的儿子不假思索地写道：新家真好！

　　据说搬家时，儿子搡车子搡得汗流浃背，平时懒得不起床，今天却早早地起来，帮妈妈又是扫又是拖的。

　　小侄子用不惯新便池将尿憋了一天。妻用不惯新锅灶将饭下生。旧门帘挂上去太土气终被压到纸箱子里。

　　累了一天的妻儿都睡了。我本来说好晚上出去干一件重要的事，却最终磨蹭到取消。实在没有力量离开这强烈的新鲜。

八年多总是在小房子里夹着，喘不过气，如今终于有个宽敞了，有个书房了，有个自在了。

不忍心早早地睡去，似乎应该为新房说点什么，做点什么。

多不容易的一个转折。总该为它打个记号。

将睡熟的妻捣醒。妻问干什么？我说在搬进新居的第一夜就这么睡吗？你不觉得太轻视太无礼太麻木不仁了吗？妻说那干什么？我说，我们该抒抒情才是，该庆祝一下总结一下回顾一下展望一下才是。

总算可以大幅度地和妻说些话做些事。多少年，总是小心翼翼战战兢兢，因为一个"匣子"里装着几代人。

总算有个家，总算……

从梦中惊醒，我感到了一种巨大的异样，我陡地想起旧房子，现在，皎洁的月光一定从那扇纱窗里照了进去，同往日一样，却没有人住了。

我的眼里就有一种液体悄悄地爬出来。

风 景

"宁夏新十景"的评选，引发了我对风景的思考。什么是景？原始意义上的景指日光，后变成与人相对的环境，宁夏新十景的"景"当指风景。那么，什么是风景？《现代汉语词典》的介绍是"可供观赏的风光和景色"。

细想一下，通常意义上的风景有这么几个方面：

把人们带进美学享受的地方，比如沙湖。

把人们带进生命思考的地方，比如西塔。

把人们带进精神图腾的地方，比如太阳神岩画。

把人们带进时间隧道的地方，比如水洞沟遗址。

把人们带进文化隧道的地方，比如西部影城。

把人们带进历史隧道的地方，比如西夏王陵。

把人们带进精神高地的地方，比如六盘山。

把人们带进心灵诗意的地方，比如文学之乡。

把人们带进安详温暖的地方，比如安详银川。

从非通常意义上讲，每个人都有自己心目中的独特的风景，那就是他们生命中感动发生的地方。

对于崇尚孝道的人来讲，二十四孝发生的地方，就是最美的风景地；对于崇尚忠义的人来说，忠臣良将诞生的地方，就是最美的风景地；对于崇尚奉献的人来讲，志愿者所在的地方，就是最美的风景地。

对于一位母亲来说，熟睡中的婴儿，可能是世界上最美的风景；对于一个小孩来说，妈妈的怀抱，可能是世界上最美的风景；对于一位倡导和谐的人来说，父慈子孝、夫妻敬爱、家庭和睦、民族团结，可能是世界上最美的风景；对于一位喜欢读书的人来说，散发着墨香的书页，可能是世界上最美的风景；对于一位热爱工作的人来说，倾注着他心血的工作现场，可能是世界上最美的风景。

一个小孩正给妈妈洗脚，这何尝不是人间最美的风景；一个儿媳正给婆婆梳头，这何尝不是人间最美的风景；灯下，娘在穿针走线，这何尝不是游子心里最美的风景；窗前，儿在挑灯夜读，这何尝不是父母心里最美的风景。

有人丢了一个耳蜗，银川全城寻找，这何尝不是大地上最美的风景；汉族孕妇遭遇歹徒抢劫，回族青年李潇、纳振东挺身而出，与持刀歹徒殊死搏斗，这何尝不是大地上最美的风景……

宁夏虽小，却曾被《纽约时报》评为全球必去的四十六个最佳旅游地之一；银川虽小，却被《中国国家地理》杂志评为新天府，似乎在说明，风景和大小无关。

"山不在高，有仙则名，水不在深，有龙则灵。"

真正打动人的风景，除了美丽，还在美好。

从地理美丽，到心灵美好，这也许正是这次"新十景"评选倡议者的初衷所在。

结果固然重要，但引导人们对美丽的认识，对美好的赏识，也许更加重要。

生命就像一缸米

越来越深切地感到时间是物质的、具体的，就像手上的粉笔，只要你写，它就会短下去；又像阳光下的雪，即使你不动它，它也会薄下去。总之，现在在我心里的时间它是量化的。

而生命对于一个人来说，它有一个总量。就像一缸米，只要你用，它总会用完。

那么拿这有限的时间用来做什么，就成了关键。

假如你盯了一天股市能够赚十万元，是赚了还是赔了？通常看来，肯定是赚了。但在我看来，肯定是赔了，因为你时间之缸内的一碗米没了。也许有人说，那你不去股市，这一碗也没了啊。对，但对还有更高超越性追求的人，他就会把这一碗米用在终极目标上，哪怕进项不多。

因此看来，目标成为关键中的关键。

对于一个要成为物质富翁的人来说，把一天时间耗在股市上是正确的，但对一个想做精神富翁的人来说，把一天时间用在股市上显然是错误的。精神富翁也许不反对财富，但财富应该是朝着精神高地行走产生的副产品。比如你讲完一堂课，临行对方给你一份谢仪，那是你今天精神劳动的副产品，它也许没有你守在股市上挣得多，但它的价值非常大，因为你点亮的是无数心灯。

同样，文字是能够看得见的时间。比如现在，我在电脑上写下一行字，看上去是写下一行字，其实是写下一行时间。再打个比方，比如今天你写下一万字，为一个你并不看重的征文，也许可以挣十万元奖金。但对于真正懂得财富的人来说，他也许会放弃，他宁可拿用来挣这十万元的时间写一千个跟终极目标有关的字，因为这虽是一千字，可能只能挣来一百元，但它是朝着终极目标前进的，是正值。而那十万元奖金则是负值，因为你在与终极目标相反的方面消耗了时间，你退步了。

时间从嘴巴里也溜走了不少，一句话就是一粒米，两句话就是两粒米，有谁算过，或者有谁留心过，每天从我们嘴巴里溜走了多少米？大半碗吧？那么，我们时间之缸内的米就少了大半碗。如果我们把时间看成是缸内的米，把每天从我们嘴里出去的话看成是缸内的米，我们就会被吓一跳。

人们之所以挥霍时间，正是因为他们没有意识到时间之于生命，是一个量，是一个限量。

时间从我们眼睛里溜走得更多。当我们打开报纸，打开网络，时间的闸门就已经打开了，时间的水就哗哗流淌了。如果我们继续借用米来说事，那么小偷已经大碗大碗地从缸里往外舀米了，只是因为我们的眼睛被花花绿绿占着，而浑然不知。蓦然回首，已经漏了大半天。

如此看来，谋事之前，行事之前，甚至动脑之前，先想想是否有益于终极目标。就拿工作中的引进人才、争取经费、组织活动来说，都要以是否朝着终极目标为公式为标准答案进行换算，去找那个朝向终极目标的最大值，去选择该做什么，不该做什么，这才是正确的取舍。如果你引进的人才有助于你探索终极目标，那么调动就是正向的，否则就是负向的，因为你引进的这个人很可能是你前进道路上的消极因素。

通常来说，钱是好东西，但是在智者看来，也许没钱更好，因为钱在手里，总要花掉，而计划花钱是需要时间的。

挣钱难，花钱难，花好钱更难。

到此，我才真正理解了古人为什么要发出"一寸光阴一寸金"的感叹。

说这话的人，如果不是时间本身，就是金子本身。

人生就像一次刺绣

细想起来，生命是由无数的缘分组成的。

生命的奥秘说穿了是缘分的奥秘。

通常情况下，人们一讲到缘分，就会想到一些大事、巧事、奇事、趣事。

其实不然。

缘分其大无外，其小无内，它是时时刻刻。

这一世，你生在中国，没有生在美国，这是缘分。

这一世，你和甲喜结连理，而非乙，这是缘分。

这一世，你是医生，不是老师，这是缘分。

这一世，你是厅长，不是部长，这是缘分。

这一刻，你的脑海里闪过一个念头，这是缘分。

这一刻，你突然想起一个故人，这是缘分。

这一刻，你完成了一次呼吸，也是缘分。

这一刻，你喝了一口水，同样是缘分。

……

在我看来，缘分是"后不再有"的代名词，也是"永不再来"

的代名词，它是一个特定的时空点，如果错过，就永不再来。比如初恋，对于这一世，它是唯一的，不可复制的，永不再来的。时间、地点、感情都对了，初恋的缘就成熟了。现在，我们后悔当初没有全心全意地投入，想再来一次，不可能了。

同样，我们在大街上碰到一个陌生人，如果当时没有对他报以微笑，想再来一次，也没有可能了。也许你会想，接下来我还可以碰到无数的陌生人，我还可以对他们微笑啊，不错，但在那个特定时空点上对那个特定人的特定微笑则永远成为遗憾。

学生在课堂听课，如果在老师讲某句话时走神了，那么属于这个特定时空点上的"听"就永远错过了。你或许会说，那我下课后还可以再问老师啊。不错，但下课后老师再也无法回到当时的状态了。而且，当你下课后再问时，又把课间那个时空点上的"缘分"挤掉了，一个错变成两个错。

人无法两次踏进同一条河流，讲的就是缘分。

如果我们懂得了缘分，就会发现，生命就像一次刺绣。

一件"绣"，看上去是"绣"，本质上却是一针一线。无数的一针一线连缀在一起，便成了"绣"。这个一针一线的"一"，其实就是"无数"，或者说，这个"无数"，其实就是"一"。

当下就是一切，就是这个道理。

因为如果缺了其中的任何一针一线，就没有这个"无数"。

这些缺下的"一针一线"，就是玉的瑕疵，就是堤的漏洞，就是生命的病。

一个人只有真正懂得生命是一次刺绣，才有珍惜可言，才有敬业可言，才有爱可言。

当我们把每一个来到生命中的缘分视为"后不再有"时，我们自然就懂得了珍重。

珍重，因为珍，所以重。因为对于生命来说，每一个来到我们面前的缘分，都是宝贝。

真正的宝贝是缘分。

为此，懂得惜缘的人，善于惜缘的人，成了这个世界上的"首富"。

那么，如何才能做到惜缘呢？

回到现场，只有回到现场我们才能抓住缘分的根，或者说是缘分的心。

纯粹地回到现场便是自在，不容易，需要我们把所有的"非现场"放下。打个比方，一粒米来到我们面前，可是我们却在闲谈状态下把它吃掉，连一粒米是什么味道都不知道，这就是"非现场"进食，我们和一粒米的缘，就永远错过了。

或许有人会说，如果我一直沉浸在吃的现场中，那不就意味着我和闲谈错过了吗？

这就需要我们来讨论一个词，本分。

吃饭时吃饭，睡觉时睡觉，这是本分。

上班时工作，下班后休息，这是本分。

如果我们吃饭时睡觉，睡觉时吃饭，那就是非分。

如果我们上班时休息，休息时上班，那就是非分。

尽到本分即是善。

可见，尽到本分需要一种高度的警觉，因为人有惯性，稍不留意就会滑脱。

比如说，现在应该是处理公文的时刻，但是我却把网站打开，点击了一则娱乐新闻，而且不防一两个小时就过去了。那么对于这天的这个时间段，我没有尽到本分。那么，我们拿到的这一时间段的工资，就成了非分之得。

现在是上课的时间，但是某个学子却在宿舍睡大觉，那么对于这位学子来说，他没有尽到本分。那么，这天他的衣食用度，就是一个欠账，就是非分所享。

而非分意味着不吉祥，因为它不对等。

生命就像一次刺绣，每一针都不能落下，每一针都不能错误，这就需要我们时时刻刻守本分。

"执虚器，如执盈。入虚室，如有人"，讲的就是这个姿态。

这个警觉需要在细节中训练。古人为了让人们回到这个警觉中，给人们创造了许多方法：比如早课，就是提醒人们进入警觉；比如晚课，就是让人们检查今天是否在本分中度过，在现场中度过，如此天长日久，就养成了警觉。

一个人的"成人之美"，就这样发生了。

不知道的人在说知道

夏天是扇子的春天。扇子在夏天赴约。秋冬春三个季节里，扇子都在睡觉。扇子一醒来，夏天就醒来了。一同醒来的还有儿子的眼睛。儿子说，扇子里为什么有风？我回答不上来。儿子说，扇子是折起来的风，一打开，风就跑出来了。我觉得有道理，但细一想又不对了。仅仅打开还不行，还必须摇起来。

带儿子到公园，起风了，儿子突然停下来。我问，怎么了？儿子皱了眉头说，你说，这阵风从哪里来？我想了想，没有想出答案。就勉强说，从天边来啊。儿子说，那我怎么看不见那个扇子，还有那个摇扇子的人。

我说，你看见风了吗？儿子说，看见了。我问，在哪儿？儿子说，在树上。过了一会儿，儿子又说，在女孩的裙子上。我说，这就对了，可见风不单在扇子上，还在树上，在女孩的裙子上。

我想给儿子说，其实这些都不对，可是我没有这样说。我知道，我的这个想法本身也是风。

进城后，暂住在机关，前面是马路，后面是球场，很是热闹，有许多体会。先是热，得开窗子，可是一开窗子，就有一种极可爱的动物来造访，单等你晚上灭了灯时前来亲吻你。就驱赶，却是战果平平。后来才发现，这家伙十分聪明，轻易逮不着的。就索性耐着性子让它吃，等对方吃饱了，自己也不觉得有多难受了。

正要准备写东西，外面传来咚咚的声音，一听就是有人在打球，是那种投球技术很不好的投，球总是无法进篮。咚，咚，咚，很闷。每一下都响在你的肚子里，时间一长，就条件反射。每咚一下，肠子就拧一下，拧麻花。实在难以忍受。怎么办呢？塞上耳机听肖邦，但那咚咚咚的声音还是瞅着音乐的间隙钻进来。神经发毛，便夺门而逃。到了楼下，手却突然痒起来，竟想打。就混在一帮小子中。同样投不中，但无妨，关键是再也不觉得这球撞击篮板的声音有多难听了。

218 冬天到了，有一种坦克开进的声音，是锅炉。整夜难以入眠，觉得世界就是锅炉，能闻到自己被噪音烤煳的味道。后来发现锅炉是间隔烧的，每当锅炉停时就抓紧睡觉。但锅炉停的时间实在太短。后来发明了一个办法，同打球一样，每当锅炉响起来时，我就唱歌。

问儿子，什么是幸福？儿子的回答出人意料。儿子说，口渴了喝水，肚子饿了吃饭，天冷了烤火，尿憋了撒尿。我一惊。显然，儿子的脑海里还没有关于幸福的名人名言。就是说，儿子还没有把幸福弄丢，还没有骑着幸福的驴找幸福。幸福在近处，真幸福。

每次买新衣服来，总得难受好长时间，比如裤子，蹲时怕弄折了，坐时怕弄脏了，处处得小心。所以既怕穿旧，又希望早点穿旧。等"旧"这个概念一从脑海里冒出来，心里倒轻松许多。再也不必担心被弄折，不必担心被弄脏。突然感到旧东西的好处来。联想到人生、爱情、婚姻，恍然大悟：只有用旧的东西才不怕用旧。

一日，一人在屋里呆，突然想跳舞。就跳。直跳到自己像火一样燃烧，像雪一样融化。没有跳的人，只有"跳"。最后连"跳"也没有了，剩下的是一种难以言传的近似于整体的"空"。从一种长久的"空"中回过神来，我才发现，真正的舞蹈是因为情不自禁，是出自一种极乐的驱动，而跟表演无关，换句话说，如果谁是为了表演而跳舞，那个舞蹈多半是假的。

从假象里出来

一个无法用文字表达的地带

《礼记·中庸》曰："道也者，不可须臾离也。"那就意味着，我们随时能在身上找到道。如何去找呢？既然善和恶不是道，那么，在那个不善不恶的地方去找，也许就能触摸得到。换句话说，我们总能在身心深处找到一个不善不恶的地方，它就是道了，那是一个不动心处，一个不间断的光明灿烂的地带，一个无法用文字表达的地带。

由此可知，一旦我们能够离开文字相，即在道中，凡是念头，都会生文字相，如影随形。平时要用心体会离开文字相的感觉，让心无尘、空妙、无著。

既然常清净是道，那么当我想吃想喝时，就在非道中，特别是馋时，已离开道，那么我们再返回去，到那个不馋的地方，就是道了。

道在我们身上，微妙地发生着作用，只是我们太粗心了，忽略了它。比如听到刺耳的声音，刚听到时，我们只是听到了一种声音，用的即是道，接着就生讨厌心，就从道中出来了，被非道接管了。

也许连吃都是一个多余

有一天，看着面前的饭菜，突然觉得，它是天地之生命力，一口都不敢浪费，不由坐直身子，以饭就口，恭敬进食。既然是天地生命力，那能少吃就不能多吃，还有那么多人无饭可吃，省下，就是功德。

有那么几天，学习辟谷，不食任何东西，只喝水，见美食居然可以不动心，而且神清气爽，不昏沉，不打瞌睡，并且灵感泉涌。才知要戒掉美食必须要找到比美食更享受的东西。

既然粮食是大自然所生，那我们绕开中间环节，直接去接受原始能量，理论上应该可以的。

221

为什么说饭后一支烟，胜过活神仙呢？因为吃饭时你的欲望惯性打开，但胃不可能让你吃八大碗，惯性需要着陆，这时烟成了替代品。所以，要想刹住这种惯性，赶快刷牙。

想吃、爱吃、不爱吃，原来都是自己的旧记忆在作怪，也就是想吃、爱吃、不爱吃的念头在作怪。我有次辟谷到第三天，本来准备当天早上回谷，但当到餐厅时，却不想吃了，因为当下把吃的念头看破了，或者说当下看破了想吃的念头，欲望居然自然脱落了。

一个人能对食物不动心，能做到对美色不动心，因为同样都是一个不动心。

行善和持咒

为了让了凡先生有所改变，云谷禅师告诉他两个方法，一是积德，一是持咒。

先说积德。积德从两方面下手，一是改过，二是看念头："至修身以俟之，乃积德祈天之事。曰修，则身有过恶，皆当治而去之；曰俟，则一毫觊觎，一毫将迎，皆当斩绝之矣。到此地位，直造先天之境，即此便是实学。"前者讲改过修身，后者讲跟踪念头，二者相辅相成，最后落在跟踪念头上。当我们能够牢牢盯住念头时，像猫盯着老鼠时，念头的老鼠便会渐渐少去，因为它知道那个猫不会打盹的，便不抱任何幻想，换地方了。

再说持咒。咒语没有意义，我们一遍遍诵读没有意义的文字，就会离开"意思"，也就离开意识，归入灵性了。但积德和持咒同样重要，因为没有积德作保障，我们会在持咒时走神，因为只要人生目标离开积德，就会患得患失。同样，如果没有持咒作保障，我们会在积德时陷于事务。

这是说内在，外在的行善有多种方式，多种渠道，但行孝第一。

孝心即天心，动孝心即打开天力之开关。

母亲给我四百元

下午，母亲推开书房门，问，看着呢还是写着呢。我说，既看又写。她说，你本事还挺大，能够既看又写。然后给我四百元，说是YM给的压岁钱，叫我拿上，我高兴地接过。又说我姐给她一千元，我妹给她三百元，她直接给妻，叫买菜。我说，你老人家偏心啊，给儿媳一千三百元，给儿子才四百。母亲呵呵笑了笑，拉上书房门，出去了。

不想母亲晚上给妻时，妻表现得很生气，说你老人家怎么能拿人家的钱，人家正盖着房呢，你怎么不跟我商量就拿钱。母亲就尴尬在那里。我忙给母亲解围。

母亲离开后，我轻声给妻说，你有没有发现，刚才把话说错了，女儿给母亲钱，是应当的，母亲接受女儿的钱，也是应当的，母亲把钱拿出来给我们，更加值得赞赏。一个给，说明有孝心；一个把钱给我们，说明不贪钱；我们接受母亲给的钱，让母亲觉得她有价值，觉得她还可以给儿子和儿媳妇钱，有成就感，满足这种成就感，也是孝心啊。因此，我就乐呵呵地接受了，让母亲很开心。虽然四百元对我来讲不算什么，但是在这个特定的交接情境中，它已经不是钱，而是孝敬老人的方式。如果我们说，我有钱，四百元算什么，四万都不缺，老人就会伤心。

妻沉吟了一下，似乎觉得有道理，说，那放着，到时人家孩子上学时，我们给他。我说错了，恰恰应该拿这些钱去买菜，给姐和妹积福报，孩子上学，我们应该拿我们的钱给他们，这样钱在流动，情义也在流动。你刚才的念头里，有傲慢——我有能力养活老人，可是，人家也有权利孝敬老人，你不能拒绝人家孝敬老人，你说人家盖房，难道盖房就不行孝了？有分别——你的钱，我的钱；有生分——我不要你的，你们只能要我的。

再说，当时你给母亲说话的口气，本身就是错误，晚辈面对长辈，任何时候都要乐呵呵。

她想了想，说，是我错了。

在经典诵读班上想到的

参加一个经典诵读班，当大班分为两个小班时，陡觉音流稀薄，没了力量，明显感到大家读得不像大班时起劲，这才明白，古圣先贤为什么要度尽众生，才能成就自己。因为没有众力，也就没有自力，自力只有通过众力这个"麦克风"放大，才能远播。

可见心量即能量。

静心有多种方法，我现在更倾向于推荐人们诵读经典。之所以推荐人们诵读经典，是因为诵读经典可以保持知觉的长度。打坐也好，观气息也好，都容易让思维跑掉，而诵读经典可以通过经典这样一条线，让我们思维的风筝永远系在上面，不至于跑远。一部经典的长度往往是一个小时左右，这样的时间正适合人的专注力限度。这样每天读一遍相当于充了一小时电，读两遍相当于充了两小时电。

另外，诵读过程，还是生命回到高能量层面的过程，至少这一个小时，生命在高级层面。如果说平时因为杂念纷纷我们的生命在冰层，那么这一个小时则我们有可能在水层或者气层。

经典是圣人的一个个念头组合，每个念头都向宇宙发出永不消逝的电波，我们读这句话的时候就和这个念头接洽，自然会得到这个电波提供的能量。

而经典，是他们的心声，是高能量载体。无数的高能量念头加在一起，就是一个高能量群，我们读它，就是进入这个群。

身体需要吃饭，灵魂也需要吃饭，诵读经典就是给灵魂吃饭。

喂养好身体重要，喂养好灵魂更重要。

生命就是一个黑板

黑板什么都没有，但可以写出任何一个字来。

小朋友在黑板上画了一幅美丽的图画，被另一个小朋友擦掉，他就哭闹，让赔。岂不知那是他画出来的世界，只要黑板在，只要有粉笔，还可以画。

有人因财失而死，有人因情灭而亡，都是把字当黑板。换句话说，他们是没有把目光从字和画移到黑板上，事实上字就是黑板，黑板就是字，但是他们的目光只盯着字和画，因为目光已经习惯了字和画，或者说字和画成了他们的目光本身。

追求财富的人，是在往黑板上写钱字；做官的人，写官字；求学问的人，写知识。在写钱、名、利的过程中，忘了黑板的存在。黑板本身没有爱恨情仇。

我们怕死，是因为盯着黑板上的死字，忘了我们手里有个板擦，一擦，死就没有了，世界重新回到黑板。

父亲舍不得故乡，岂不知故乡是他画出来的一幅画，如果看明白了，真正的故乡是黑板，因为它能生一万个故乡，因为它可以画出一万幅画。

妹妹来看父亲，离去时，父亲老泪纵横，我却没有此感，为何？因为我相信黑板，哪天想见妹妹，写上去即可。

突然发现生命就是在黑板上写字，写一个爱，一个爱的世界出现了，父子亲情出来了；写一个恨，仇人世界出现了；写一个情，情人世界出现了。但是，当我用板擦擦擦几下，什么都没有了。

由此可知，心想事成是真理。只要你手里有粉笔，只要你学会写字，只要你会画画，想要什么，就写什么。

可我们为什么心想事不成，因为总是在修改程序，比如晚上睡前给自己说明早要四点起床，但到时我们没有执行，生命中负责程序的平台就有一个失信记录，久之，失信堆积物就会把我们的能量通道堵塞。说假话也是堵塞，一句假话，把我们的真诚通道堵塞。同样，贪心、生气、抱怨，都会产生能量垃圾，堵塞我们的能量通道。久之，我们的心就没有力量，而心没有力量，就事不成。

227

生命是一个同心圆

一天，突然意识到生命是个同心圆，最核心层为本体，它同时是真我、真心、真爱、真能，围绕着它的是高能量，表现为喜悦、永恒、圆满、坚定、能生；换一个角度看，是无痛苦、无烦恼、无生死、无缺少、无动摇、无欲求、无控制、无杀机、无占有，等等；再换一个角度看，是常清净心，无思无虑心。如果把它视为树干，它的枝是爱心、细心、安心、诚心、耐心、信心、敬心、畏心、廉心、耻心，等等；花叶是温暖、善良、崇高，包括孝悌忠信礼义廉耻仁爱和平，等等。

又一天，觉得生命是一个翻转片，正面为阳，背面为阴，阳为善，阴为恶，中间是本体。掌握这个翻转片的，当是本体。

它因不断局限而小而私而恶。那么，解脱的过程，就是反局限的过程。

只要这一刻我们还有痛苦感，我们就还没有回到本我中。

去执著，从绑中解脱，回到松体，松是通道；去分别，从小中解脱，回到大体，大是能到一切；去妄想，从动中解脱，回到定体，定是回到核心。

228

既然动能来自本体，那当我们的动作特别缓慢时，就容易体会到本体，当慢得不能再慢时，动作的根就出现了。

本性背面为谦德，长养谦德，也会体会到本体。

"我"在本体之海中是安全的，作为浪，一出来，另一朵浪会攻击。敌人攻击我们，一定要把我们从营地调动出来。用什么调动？贪嗔痴慢疑，财色名食睡，怨恨恼怒烦。当我们守在本体大海中时，敌人拿我们没办法。故，真正的安全是回到本体。

既然灵魂是灵性大海中出来的浪花，说明它本身也是灵性，只是被污染了，被负面念头和负面念头的果所污染，除去这些污染，浪花的品质等同大海，因此，悟为本性，迷为灵魂，未染时为本性，染为灵魂，污染水净化后即为纯净水。

没有假，我们发现不了真。"荆棘丛中下足易，明月帘下转头难。"只有通过荆棘，我们才能意识到脚，否则，我们平时都忽略了脚。虽然我们一步都离不开脚，但我们往往忽略了脚。

没有真，我们看不到假。是谁发现你抱怨的？真我发现的。

答案不在思考里，静下来，答案就在那里。往往在放下时，答案自然到来。

229

因此，抱怨到来的时候，我们要感谢它，借之，我们"看"到那个发现抱怨的我，"发现"抱怨的"我"，就是真我。

当我们明白了一无所有就是什么都有时，我们才算真正上路。

从此，不用分别好人坏人，好事坏事了，好吃不好吃，好法不好法，只是处在知道之中，无分别的当下的活着。

包括法，也放下，只是纯粹地活着。

为一事生烦恼，当即想到，就连生命本身都是梦，何必计较。

心生一偈：

都是梦中事，何计好与坏。

在生死大背景下看蝇头小利，太没有意义。

真正的智慧是突破维层，小蚂蚁为保卫自己的国土牺牲了，岂不知它一旦成为人，当年的保卫显得可笑至极。对于人类来说，卫星上天已经堪称伟大，但是对于那些在宇宙中自由穿梭的生命来讲，他们也许在忍俊不禁呢。一直在一个维度努力太辛苦了，聪明的做法是突破，是超越，而不是拓展。

生命如此简单，但我们却把它搞得十分复杂。

从假象里出来

有位同学上课时咳嗽得厉害，但在做操时却一声未咳。突然明白，这是因为做操时没有给咳嗽的念头出现的机会，因为操是才学的，她需要全力记动作，可见，任何行动都是念头这个种子结的果。同样，如果我们把咳嗽视为灾难，咳嗽停止就是平安，而实现这个平安的办法，就是不给灾难的念头登场的机会。原来灾难是给了灾难的念头一个机会。如此可见，咳嗽是一个假象；如此可见，烟瘾也是一个假象。

古人寻找安详，全在不起心动念处做文章。《了凡四训》中，云谷禅师明确告诉了凡先生此一秘法：

> 孟子论立命之学，而曰："夭寿不贰"。夫夭与寿，至贰者也。当其不动念时，孰为夭，孰为寿？细分之：丰歉不贰，然后可立贫富之命；穷通不贰，然后可立贵贱之命；夭寿不贰，然后可立生死之命。

只有我们消灭了"丰歉""穷通""夭寿"的分别，把它们看成"一"时，我们才能真正立贫富、贵贱、生死之命。因为只有我们消灭了"丰歉""穷通""夭寿"的分别，我们才能触摸到生命的根地，也就是孔子讲的"绘事后素"的那个"素"，借用释家的话说，就是法性。法性中没有"丰歉""穷通""夭寿"之别，甚至连这些概念都没有，它只是一个完美，一个清净，一个圆满，一个具足，一个能生性。换句话说，只有我们回到这个境地，我们才能拥有真正的命，它不善不恶、不生不灭、不增不减、不净不染、不动不摇、不缺不少、能生一切，那才是真正的富、真正的贵、真正的生、真正的命、真正的福。

换个角度去看，生死为假象，永远不穷为真福，永远不夭为真寿，永远不歉为真丰。

假如我们带着死生分别目光去看，当然有顺逆。一个觉悟者，要看到一切都是幻象，都是风景，都是戏，都是好，"春有百花秋有月，夏有凉风冬有雪；莫将闲事挂心头，便是人间好时节。"全然接受来到生命中的一切，与一切事、一切人、一切物、一切情、一切绪，都不起心、不动念、不执著、不分别，让心灵永远处在常清净心中。

傲慢会变着样子欺骗我们，以极谦虚极温和的姿态出现。如果我们有足够的警惕，有时会吃惊地发现，傲慢会变成同情心出现。细想一下，人是平等的，我们凭什么同情别人，我们有什么资格同情别人？那么，他需要帮助，我们怎么办？以无同情之心帮助他。而要不动同情心帮助人，我们似乎觉得没有可能。不错，在没有到达常清净心或者说是零极限，我们做的一切事都是错事，动的一切念都是错念。

一只南美洲亚马孙河流域热带雨林中的蝴蝶，偶尔扇动几下翅膀，可能在两周后引起美国得克萨斯州的一场龙卷风。其原因在于蝴蝶翅膀的运动，导致其身边的空气系统发生变化，并引起微弱气流的产生，而微弱气流的产生又会引起四周空气或其他系统产生相应的变化，由此引起连锁反应，最终导致其他系统的极大变化。此效应说明，事物发展的结果，对初始条件具有极为敏感的依赖性，初始条件的极小偏差，将会引起结果的极大差异。

此效应让人对"第一个念头"心生畏惧。

为什么忠孝之家，子孙昌盛？因为忠于国家，即为保护国土。保护国土，一方面为保护人民，更为重要的是保护祖先留下的文化，特别是中华文化，那是天道文化，天人合一的文化，大爱的文化。

定是性体，性体本身是圆满的，本自具足的，既然本自具足，就包括一切可能性。

为此，目标不重要，重要的是通过目标得定；用什么方法不重要，重要的是通过方法得定。只有大定才能大悟。正如得和失不重要，重要的是获得根本快乐。用餐时极静，会碰到极静；听课专心到极处，会碰到极专。极静和极专连着能静和能专，也即知道力。

要常常提醒自己，我知道我在听课。内容不重要，知道自己在听才重要。

如果我们无法体会这种"知道"，那就退一步，和老师保持同步，同频共振，这也是古人为什么强调止语，因为只有止语，我们才能让频率不间断，才能和老师印心。

觉之粗细长短深浅

当粗觉变成细觉，我们吃饭时再也不需要借助于调味品，比如辣椒酱油一类，一些人没有这些调味品就无法下咽，说明他们的觉还在粗频上。当粗频到了细频，我们吃任何东西都香得不得了，大米有大米的香，白面馒头有白面馒头的香。甚至在吃米饭时，吃面条时，吃白面馒头时，不愿意下菜，或者等吃完白面馒头再下菜，否则，和在一起，浪费了，因为和在一起成为一个杂味，分开是两个纯味。因为任何东西都是本性生的，而本性本身就是香的。

当粗觉变成细觉，我们会发现身体里还有无数小身体。也就是大系统里还有许多子系统。再细，我们还会发现子系统中还有子系统。同样，我们会发现大念头里含着小念头。甚至从谦虚里，我们会发现藏着骄傲，在崇高里藏着卑鄙。

短觉容易消失，长觉比较稳定。读经典是训练长觉的好方法。这个是一个功夫上升的过程。一下子难以做到，需要时间和反复练习。

深觉和浅觉有些只可意会，难以言传，它需要定力作保障。

定有多深，觉就有多深。

"高深"这个词，细细玩味，有深义。"深"比"高"深，如果想远方，一直想下去，和想内在，一直想下去，是两种体会。想内在，想到一定程度，我们会有突破感，似乎从一个层面，到了另一个层面；想外在，一直想下去，总在一个层面上。打个比方，我们沿着衣袖想下去，觉得那个袖子无限长，但一直是袖子；如果往里想，会从一层衣服到另一层，一直到内衣。

训练现场感，也可以通过反省身体和念头进行，身体的运动来自念头驱动，念头由主体驱动，当我们时时觉知念头的起处，事实上我们就在觉知主体，因为主体是念头的根。

活着的意义可能就是为了让我们体会"知道"，也即本体之尊严，之能耐，之美妙。

知觉会有断点，特别慢时会连绵，当我们所有的动作都不发出丁点声音时，知觉接近圆满。

平时我们可以在作用中体会作用的主体，也可以在主体中直接体会主体，但后者较难，因为我们常常灯下黑，就像眼睛常常忘记眼睛一样。

云世界

早十点出门，给手机卡升级。到移动营业处，才知可以通过微信转移通讯录，原理是进入"设置"，再进入"通用"，再进入"功能"，把通讯录备份到"云"中，然后恢复到新手机中。这让人对存储介质有了新的认识，也可以帮助理解生命。1600个手机号码，居然可以如此轻松的转移，那么灵魂呢？

同时想到，一定要学习高科技，高科技是"天力"，靠人力，太费时间了。

又想，微信和QQ等，事实上都在利用云世界工作了，换句话说，它们已经告别了可视可见可触介质工作了，它们由几何世界到了云世界。

无线网络的存在，让人觉得已经进入自由王国，大大解放了生产力，原来要换一部手机，往往要把通讯录重录一遍，现在居然可以如此迅速的转移。

又想，这些由高科技省下来的时间，我们用来做什么呢？

宇宙本是一爱字

爱整体必定是爱整体的组成部分，如爱一家必定是爱一家的每个人。"凡是人，皆须爱"，因为人为道所生，亦即整体所生。事实上，凡是物，我们也"皆须爱"。因为爱能转化一切，把丑转为美，把凶狠转成慈悲。

爱力要在公益事业中培养。

找优点到最后，一直找到根部，发现宇宙是一爱字，最大的优点在本性，它的体相是爱，整个天地都是一爱字。

这让我想到，我们之所以要感恩，是因为我们不是自己生的；我们之所以要感恩，是因为我们不是自己养活的；我们之所以要感恩，是因为我们不是生而知之的；我们之所以要感恩，是因为我们不是独立存在的。

当我们暗示自己爱蚊子，会发现蚊子极美。

妻让我看蚊子是如何吃她的。拿了照相机，放大，我发现它的肚子是一点一点红的，就像一个注射器，十分安静地往里吸血，然后从容地离开，趴在纱窗上，负重已经让它飞不动了。

由此受到启发，以后但凡有蚊子来，就自愿献血。才发现，当一个人主动让别人吸血时，烦恼没有了。以前总会打，现在连打的念头也没有了，喜悦到来。

"泉涸，鱼相与处于陆，相呴以湿，相濡以沫，不如相忘于江湖。"其中，"相濡以沫"形象地体现了黄河文化的代表孔子、孟子所倡导的"仁义"关怀。长江文化的代表则认为：还有比"仁义"关怀更好的存在方式，就是"相忘于江湖"。

当下乐是江湖，寻找乐是濡沫；当下乐是大爱，寻找乐是小爱。

小生命　大启迪

小　孩

教一位朋友家的小孩写繁体字。他问我，写繁体字有什么好处啊？我说好看啊。我写了两个字，让他对比一下。他说，没觉得有多好看啊。我说，如果你写繁体字，人们就会觉得你有文化。他说，要文化有什么用啊？我说，文化是气质啊。他说，气质可以干吗啊？我说，可以赢得人们赞美啊。他说，赞美有什么用啊？我就无言了。

这时，另一位朋友说，繁体字比简体字值钱。他说，你怎么知道它比简体字值钱？朋友说，你看大书法家吴善璋，一幅字好几万元，你妈妈开的那个车，都没有人家一幅字值钱。这位小朋友一下子来了精神，那我也要写繁体字。说着，照我写的样子写了两个繁体字，展示给这位朋友，说，给我几万元！

小 狗

天冷，母亲和妻在院子里捡了一只刚出生的小狗回来，家里就有了笑声，也有了活力，它的每一个动作，都会成为大家的笑料。比如，妻给它喂饼子吃，却不放在盆里，而是拿在手上，它就后脚立地，身子直起来，像个小孩子一样从妻手里往去叼，或者就那样站着，把一块饼子吃完；比如，妻在地上跑，它也跟着跑；比如，让它仰躺了，它就四脚朝天地听人说话。

它让我明白，动物是通人性的。每次出差回来，它就扑上来，抱着我的腿，亲个不够，像是抱怨，你怎么才回来。咬你的手，却不往疼里咬，火候把握得很到位。给它好吃的，也不动心，只是咬你的手。

正和你玩得起劲呢，但当你进入安静，它也会进入安静，蹲下来，或者趴下来，眼睛一眨一眨地看着你。晚上，当你把它关在阳台，它会抗议，但当你真睡定时，它也会悄声。整个晚上，它都是静悄悄的，像是担心会打扰了你的梦境。早上，乍一听你醒来，它就开始叫。

今天，我还发现，它会哭。和它玩了一会儿，当我从阳台出来，把玻璃门关上时，我看到它后脚站起来，前脚在玻璃上拼命地抓，抓了一会儿，终于判定不可能把门抓开，就停住，两眼泪汪汪地看着你，哭。

静是一种回家的方式

在十分热闹的聚会中，却听到一则令人安静的故事：一位农民为一家寺院送豆腐，看到和尚们整天在那里静静坐着，很享受的样子，很是好奇，就请求加入进去体会一下。不想刚一坐定，就想起有人若干年前欠他的一笔豆腐款还没还，当即起身告退，找人要账。

在我看来，这是关于一个时代的寓言。之于卖豆腐者，静太不重要了。

但事实真相是，静是最重要的。没有静，我们感受不到世界的富有和美丽；没有静，智慧根本无法起作用，诗意无法产生；没有静，心神则无法安宁。对于整个社会来讲，没有静，就意味着没有和谐，没有幸福。

古人之所以十分看重静，因为静是生命力。累了一天，睡一觉，精神百倍，补给能量的，正是静。这个静，既是状态，又是能量。男女之爱之所以吸引人，正是因为借助于对方让我们暂时回归静。如果我们能够在自身找到这个静力，就再不需要借助对方回到静了。同时，它还告诉我们，生命

241

是在静中孕育的，尽管它看上去是激情，但那个激情正好是另一种静，因为在那个时间段里，我们没有杂念产生。因此，这个静和速度无关。出色的舞蹈演员在舞蹈时，看上去在动，但她的心是静的，因此打动人，她自己也在享受中。

既然静能够孕育生命，那就意味着它能够孕育一切，包括智慧。现在我们终于明白，古人为什么半日读书半日静坐。明白了其中的道理，我们就会知道，读也是静，静也是读。

在今天，能够体会到静、享受到静的人，已经不多了。古人对静地的要求是：九里之内听不到牛叫声。显然，现代社会很少有这样的地方了。当年回老家，当我走进那个小山村的时候，从那个山头上走过的时候，就觉得进入了一种节奏，那是一种巨大的、充沛的、富有磁性的静。每晚，我都要出去，一个人坐在山头上，抬头，明月就在当空，一伸手，星星就在掌心。那种寂静，真是有种融化人的力量。那一刻，我能够实实在在地体会到来自浩瀚宇宙的无尽滋养。这几年，已经没有当年的感觉了，因为村里已经有拖拉机和摩托车这些东西了，当年那种持久的浓烈的厚实的寂静，已经无缘享受了。

为此，闹中取静就成了一个课题。为此，我尝试过通过一个对象物致心一处取静，比如把一本经典读一千遍，把一首歌唱一千遍，觉得有效果。当下瑜伽之所以流行，大概也是因为这个缘由，通过一定难度的动作，让如猿之心如马之意暂时"粘"在上面，给本体一个浮出水面的机会、回家的机会、喘息的机会，也就是通过一念，到达无念。

之后，我又尝试通过"现场感"取静，不料效果更好。比如，在非常热闹的环境，完全跟随那种热闹；在非常喧哗的场合，完全跟随那种喧哗。不久，我就体会到了一种"粘"在言行和思维上的"反照力"，然后回到这种"反照力"上，一种原来不曾体会过的喜悦发生了，有些妙不可言。

现在看来，它是一种跟踪力、观照力、觉察力。

它，应该就是静的核。

蓦然发现，由不安静带来的焦虑消失了。之于现代，"农历时代"肯定是回不去了，但是我们完全可以找到"农历精神"，作为人的基因也好，作为人类的集体无意识也好，它永恒存在，确确实实存在，不会因为时代变迁而消失，不会因为骚动喧哗而消失。

它就是安详。

因此，对于现代人，我更愿意推荐通过现场感取静。当一个人找到了现场感，他就会发现，生活和工作本身就是"瑜伽"。

自此，我不再赞同那些执意放弃城市生活到乡村去寻觅桃花源的做法，因为"放弃"这个词本身就是执著，正确的做法应该是安处。桃花源不在别处，就在心里。如果一个人的心里有桃花源，他就会随时随地安处。想想看，当世界上的每一个人都能随时随地安处，这个世界是不是就是和谐社会？这时，我们就会理解老子为什么要讲"鸡犬之声相闻"却"老死不相往来"，因为没有必要，因为当处就是桃花源，不需要跑来跑去，徒劳心神。

这才明白，"农历精神"之所以滋养人，因为农历本身就是一个静。这在古老的年俗中体现得尤其突出。无论是守岁、点明心灯，还是出傩，都会把人导入大静。

这才明白，既然生命来自静，来自安详，那么我们进入静，进入安详，事实上就是回家。才知为什么年关到来，人们要不顾一切地回家。可见大年本身就是一个回家情结的集体无意识，是中华民族的一次集体精神还乡。为此，我很早就建议把春晚从除夕挪开，因为春晚让我们在最需要最值得沉浸于祝福现场时却在兴致勃勃地"走神"，一次长达四小时的集体"走神"，"回家"的主题就被严重干扰了。守岁，作为中华民族集体公约的进入静的方式，进入时间的方式，进入祝福的方式，一年只有一次，却被春晚闹掉，真是太可惜了。春晚是完全可以提前一天，或者推后一天的。

这才明白，静是一种回家的方式。放过爆竹的人一定有这样的体会，在爆竹点燃到爆破的那个时间段里，人是在现场的，虽然这个过程看上去"热闹"，但它本质上是"寂静"的，因为在那一刻我们的内心了无杂念，只有"期待"，事实上，它是一种不需要期待的期待，说静候可能更准确。就像鞭炮，当捻子迅速地走向炮的主体，当那一声脆响发生，一个人的心里只有现场和现场感。这不正是一种通过动态完成的静吗？在那一刻，你会发现，你的心和时间是平行的，如果说时间是一个湖面，那么你就是静泊在湖面上的一叶扁舟。

　　让我们乘着这叶再美丽不过的扁舟，回家。

给是天地精神

一个人要想走进安详，获得真幸福，首先要和天地精神相应。而"给"，在我理解，就是天地精神。

"日月无言，昼夜放光；大地无语，万物生长。"细思量，保障我们生命的最基本条件，如阳光、空气、时间、空间都是免费为我们提供的。有人收取土地出让金，但是大地本身没有收取；有人收取水费，但是水本身没有收取。

为此，天才长，地才久。

当年鲁哀公问孔子，你的弟子里谁的境界最高，孔子回答是颜回。因为他"不迁怒，不贰过"。孔子为什么要首先强调不生气呢？当年搞不清楚，后来突然明白了。人为什么会生气？生气是因为"自我"被冲撞啊。人在什么情况下不生气？"无我"啊。也即孔老夫子所讲的"耳顺"境界，所谓"荣辱不惊，毁誉不动"。一个人，只要有自我，就无法荣辱不惊。所谓"名关不破，毁誉动之；利关不破，得失惊之"。

那么，如何才能"无我"？在我看来，"利他"差不多是一条最重要的途径。

我们且不要说像孔老夫子和颜回那样消灭"自我"，就是尽可能地弱化"自我"，心态也会趋于平静，快乐也会成倍增长。因为烦恼和焦虑来自患得患失，而要消除"患得患失"，唯一的办法就是去掉"得失心"。而要去掉"得失心"，就要向天地学习，包括向它们的使者动植物学习。

记得小时候，天上还满是星斗，许多人还沉浸在梦乡，父亲就赶着老黄牛下地了。夜色漆黑，那串叮咚叮咚响过巷道的铃声，永远留在我的记忆中。从老黄牛身上，我知道了什么叫任劳任怨，那种不辞辛苦的乖顺，真是让人感动。特别是看到它一边犁田，一边拉屎，心里就特别难过。但是如此辛劳生产出来的粮食它自己又何尝品味过？还有毛驴，不但要拉犁，还要驮运，面对需要两个人才能抬到它背上的沉沉的麦垛，一点逃避的意思都没有，而是静静地站在那里和你配合。

再比如，有一天我突然意识到，原来我们平时吃的东西，全是种子，心里就打过一个闪电。想起每次用夹子捏核桃，我都有一种强烈的罪恶感，一个那么完好的世界，却让我们咔嚓咔嚓地捏破。终于明白为什么有人要说"如果不是一个奉献者，活着就是犯罪"。一颗土豆是一个世界，一粒玉米是一个世界，一只苹果也是一个世界。每天，有多少个"世界"到了我们的胃里。而它们，是种子。这些种子如果到了田野，将是一个无法估量的生机。再想，它们是用一生的光阴来供

247

养我们，更是让人惊心动魄了。

默默奉献，这一"天地精神"在动植物身上得到了充分体现。

如果我们愿意依此实践，就会实实在在地体会到"自我"这块坚冰被融化的过程。

当我们尝试着把能拿出来的那份财物给更需要的人，一段时间之后，对财物的占有欲就降低了。渐渐地，就能体会到钱财的得失不再对我们造成很大的焦虑了。同时，发现把财物给急需的人更有"增值感"，这种"增值感"既是物质的，又是精神的。如此，附着在财物上的那个"我"融化了，另一个"我"诞生了，它就是"本我"。

这时，我们就会明白，所有的痛苦都是因为"小"造成的，宇宙、苍生、人类、国家、家族、家、小家、本我、大我、小我，层层隔离，逐次成"小"。为了捍卫这个"小"，焦虑产生了，痛苦产生了。

可见，痛苦是因为我们心的"小"。这是我的，那是我的，得到喜，失去悲。一个宝物，到了我家，我高兴，到了别人家，我沮丧。其实在"整体者"看来，放在谁家都一样啊。

可见，分别越小痛苦越小，分别越大痛苦越大。

反之，当这个"小"按照小我、大我、本我、小家、家、家族、国家、人类、苍生、宇宙这样的次第扩大，来自"小我"的焦虑便逐次削弱，直至于无。

可见，这个"小"是被"分别"出来的。

如果我们反其道而行之，通过把自我认同的财富、力气、智慧给予他人，我们的心量就打开了、扩大了，结果必然是：焦虑消失，安详到来。

对于一个"村落级"心量的人，"家"的得失已经不会对他造成焦虑了；对于一个"世界级"心量的人，"村落"的得失已经不会对他造成焦虑了；而对于一个以"大整体"为家的人，已经不需要作"回家"想了，终极归属的焦虑自然消失了。

实践上一段时间，我们会发现，"给"的方式可以各种各样，比如一个公益倡导，比如一个公益访谈，比如给周围人做一个好榜样，比如用"四两拨千斤"的方式鼓励更多的人去给予，等等。

再实践上一段时间，我们又会发现，在给别人的过程中，我们有了力量感，还有包容感、温暖感。这时，我们就懂得了什么叫"量大福大"。事实上，"量大"也会"力大"。也才知道，真正的力量是与我们的心量对应匹配的，这大概就是古人讲的大则势至吧。

继续深入，我们还发现，"给"有着非常广泛的内涵和外延，比如放下名利之心，放下对立分别，以及忍辱、随缘、以德报怨，等等。有时，"给"还以"接受"的方式发生。通常情况下，我们认为把好吃的东西留给父母是善，但也要看具体情境。

父亲八十七寿辰，儿子给买了一盒蛋糕，仪式过后，父亲分给我们。我和爱人都说不爱吃蛋糕，让他老人家吃。但父亲坚持让我们吃，说如果我们不吃他也不吃。我们就切了点，装作吃的样子，陪他和母亲。不想父亲切了一大块递给我，我躲，刀叉上的蛋糕就掉在桌子上了。父亲不高兴地放下刀叉，说，你们不吃，我也不吃了。我忙捡起来，说，好，我们一起吃。父亲才又拿起刀叉。这时才知，"接受"也是孝敬。

当然，最究竟的"给"是点亮他人的心灯，帮助他人找到本有的光明。太阳出来，大地自会一片光明；春天到来，大地自会一片生机。因此，光明不是关键，关键是太阳；生机不是关键，关键是春天。

好老师是一盏灯

　　老师的儿子考上了大学，开学要走时，我让他提前从乡下过来，在我家住了一夜。孩子落落大方，彬彬有礼，让人喜欢。妻子自然用心款待。晚饭后，一家人听他不卑不亢地讲老家的事，包括老师和师母，觉得格外亲切，也特别欣慰。出乎我们意料的是，给他备了一些零用钱，却无论如何送不到他手中，那种从容的训练有素的拒绝方式，让我看到了当年的老师。

　　老师名叫刘富荣，是我初三的班主任。毕业时，每位同学凑了两角钱，给每一位任课老师买了一个洋瓷盆子，但给老师的却无法送到他手中。他知道我们要送礼物，一直不开宿舍门。直到另一位老师在窗外给他说，富荣，马上要毕业典礼了，学生们都在等你呢。老师才开了门，却提了一个条件，说，你们稍稍等我一会，我会接受你们的礼物的。然后跑出去了。等他回来，我们已经排队准备去操场参加毕业典礼了。老师气喘吁吁地站在我们面前，右手提着一大摞毕业证，左手攥着一叠两角面值的新钱。一边打开一边说，同学们的礼

253

物我收下，但是这两角钱你们必须收下。我们当然不能收这两角钱。不想，老师拿出了杀手锏，说，好，你们不收这两角钱，我就不发毕业证。大家就只好抹着眼泪把那两角钱收下了。

随着岁月的流逝，这些细节在心中的分量越来越重，每每想起就一阵心疼。

在我的印象中，老师没有批评过哪位学生，但学生都十分地尊敬他，也怕他。班里有几个捣蛋的学生，别的老师上课时，老是不安分，但在老师的课上却是乖孩子。记得有次我在课上打盹，被老师叫起来，我紧张坏了，不想老师却无比和蔼地说，昨晚没睡好？我惭愧地点了点头。老师笑了笑说，背哪一篇？我说，《岳阳楼记》吧。这就是老师，在他的数学课上，学生开小差或者打瞌睡，处罚方式却是让学生站起来背一段古文。

有一天的数学课上，班长让大家自习，说老师回家做新郎官去了！教室里一下子炸开了！谁想就在这时，老师却从门外进来了，头上身上都在冒汗，像是刚从蒸笼里出来。再看脚上的军用鞋，都湿透了。老师显然有些害羞，笑着看了大家一眼，转身在黑板上写课题。就有同学指着老师的后背悄悄说什么。再看，就发现老师的旧上衣下摆处露出一截新衣服边儿，如果不是抻着身子写字，是看不出来的。写完课题，老师转过身来，正对上大家探询的目光，有些不好意思地看了大家一会儿，向下抻了抻衣角，笑了笑，说，咱们开始上课。说来大家可能不会相信，老师教了我们两年，居然没有换过外衣。常常周六晚上把衣服洗了，晾干，周一再穿。今天终于添了一件，当然很让我们开心。

送走我们后，老师调到县教师进修学校任教。可是不到两年，他就坚决要求调回平峰中学，在那里过且耕且教的生活。周六周天回家种地，周一至周五教学。由此可以证实，老师新婚之夜让师娘独守空房，夜行百里来给我们上课，绝对不是因为他和师娘的感情不好，而是不愿意耽误一堂课。

后来我又听说，到了平峰中学后，老师在不停地变换着角色，语文老师紧张他教语文，数学老师紧张他教数学，化学老师紧张他教化学，政治老师紧张他教政治，美术老师紧张他教美术，全听学校安排。让人觉得老师不但崇高，而且有些神奇了。

2007年，我侥幸获得第四届鲁迅文学奖。从绍兴领奖回来，就回家看望老人，接着到老师任教的平峰中学看望他。

不到二十平米的房间，一边是办公桌，一边是床，一边是灶，一边堆着炭，门后立着一辆破旧的自行车，轮胎上沾满了泥。这么一个仅可容身的小房子，既是他的办公室，又是卧室，又是厨房。如果换了我，学生到来，多少会感到局促，但老师却是一脸的快乐，这是我从他的目光深处读到的。

过了一会儿，老师把抽屉拉开，说，文斌你看，你写给我的信我都珍藏着呢。厚厚的一叠信在老师手中错落开来，那是我在人生的不同阶段写给老师的信。既有在邮局买的信封，也有印着不同单位名称的公用信封，散发着岁月的气息。

真是无法描述当时心中的感受。

早知道老师会如此精心地收藏这些信件，平时应该多写一些才对。

就在我写下这些文字的时候，听说老师带的学生考了市上第一名，学校要奖给他几千元，他同样婉谢了。他说，作为一名老师，带好学生是自己的本分，还拿什么奖金呢。

我不知道现在同学们毕业时送给他的是什么礼物，也不知道他是否还像过去那样给每位同学发钱，但那张面值两角的人民币，一直伴随着我，如护身符一般，陪我走过一站又一站的人生旅程，每当自己心里有苦、有怨、有屈，就掏出来看看，心就会一下子定下来。

追月之彩云

　　肯定是冬天，不然先生不会戴着手套给我们讲课，雪白的手套。

　　可先生却穿着灰白的风衣，那就应该是秋天？到底是冬天还是秋天，真是记不大清了。

　　如果能够找到当年的课本，一查就知道是何季节，但是课本也找不到了。

　　留下了什么呢？

　　一位先生，穿着当时只有在电影上才能看到的风衣，戴着白手套，给我们讲孔乙己，这幅画面，作为一个经典的意象，永远留在学生的记忆里。

　　先生穿着风衣，孔乙己穿着破旧的长衫，真是一幅有趣的时空画面。

　　那时的先生在高处，让我们有些不敢亲近，也比别的老师多了一些神秘。课后，我们总是喜欢悄悄地跟着先生。

　　天啊，那位最漂亮的女先生居然在先生的宿舍里给先生炒菜，神情是自愿的、光荣的、甜蜜的。这时的先生已经脱下风衣，但学生分明看到他的身上还有另外一件风衣，这时的先生已经摘掉手套，但学生分明看到他的手上还有另外一双手套。

先生的脸上笑容灿烂，那是我们在课堂上看不到的。

先生像是有意让我们分享他的甜蜜，把门半开着。

说老实话，那时我们并不懂什么叫"漂亮"，只是觉得那位女老师身上有一种"贵族味"，其实我们那时并不知道什么是"贵族味"，只是觉得那位女老师和别的女老师不一样，年轻、好看、美。

先生的宿舍门，也就成了学生的好奇门。我不知道先生是否意识到有那么多学生在每天窥视着他。如果他意识到后背上每天"粘"着那么多眼睛，就像他笔下的梅花篆字一样，那他每天走进教室时，该是一种什么心态。

但有一点是肯定的，那就是他的学生在感受着他的幸福。

后来发生了一件大事，那位女先生的男朋友带了"一个连"的兵力包围了学校，学生们摩拳擦掌，准备誓死保卫先生，不想战火还没有燃起，就熄灭了。

据说是正义给先生撑了腰。

这让学生感到多么遗憾啊。

生活重新进入平常。

现在看来，先生之所以让学生难忘，正是因为他给了平常的生活以不平常。

不平常，是先生的人生，也是他的气质。

后来看到先生写狂草，觉得合路，也合理，如果先生写正楷，那就不正常了。

再后来听到中国书协副主席吴善璋先生说，他的草书路子对，会有大出息，也觉得正常，如果没出息，那就不正常了。

再说当年。模仿特别是学生的天性，先生特别，学生当然模仿。当先生走下讲台，从教室门出去，我们就奔上去，把两手握成抓球势，握成"孔乙己空心球"，其中是我们想象的茴香豆。然后拔着身子，一只手背在风衣后面，一只手在黑板上写字。

还有先生走路的姿势，风一样的飘逸，却总是学不像，后来看了他的书法作品，才知道先生的双腿压根就不是双腿，而是一对不知握在谁手里的笔管。如果大家见过先生，这时一定会联想起先生的头发，现在想来，那也不是头发，而是狼毫，嘿嘿，其实叫"人毫"更准确。包括先生的眼神，那种不食人间烟火的眼神。

学不像，却心向往之。

顺便说一句，如果他的学生中有人命犯浪漫，那也是有出处的，那是一种追求"不平常"生活的必然逻辑。

大家可千万不要怪这些学生，要怪就怪法帖，就像写字一样，没有谁生下来就是书法家，起初都得临帖，我们临的就是先生的帖，如此，先生成了我们潜意识中的法帖。

至此顿悟，什么是教，什么是学？这就是教，这就是学。

做个样子给学生看。

如此而已。

回头再想，当年啃过的和砖头一样厚的《教育学》，真是冤枉。

做学生的法帖，这就是老师，就是教育。

那时还觉得先生有些傲，好像不把平常生活放在眼里，当然也就不把眼下的一切放在眼里，包括我们这些学生。感觉他是站在云端讲课的，一直没有降到人间来。我估计，他也没有把别的老师放在眼里，包括他脚下的大地。如果你有足够的细心，就会发现，他是行走在大地上，但脚步却是在云端的。

由此推断，他的心肯定在天空。诗人说，去远方，远方有风景，看来诗人还是目光不够。我要说，去云端，云端有风景。

果然，不到一年，老师就驾着云走了。

去了县城。

属于将台中学的天空，就一下子暗了下来。

属于同学们的日子，就一下子平常了起来，就像谁突然把一幅绝美的风景画翻到了背面。

就是我们那段时间的心情。

直到后来刘富荣老师来了。

现在想来，可能更伤心的是女老师们，当然还有女同学们。

哼！伤心去吧！就让她们好好伤心一番吧！

打听先生的消息，就成了我们的主要牵挂。

不久就听说他又从西吉二中调到一个叫彭阳的地方。

后来的某一天，我和先生"撞"了个满怀。那是一列从将台开往固原的班车，我在将台上的车，先生家在将台东坡，离班车始发地兴隆镇不远。先生坐在车门口，膝盖上是一本我从来没有见过的书，大且厚，后来回想，那应该是《辞源》。先生一点都没有意识到我上车，也许压根就没有意识到车停了。

我怔了一下，慌忙选了一个先生身后的座位坐下来。

这一路就在矛盾中度过，要不要和先生打个招呼呢？

结果一直没有付诸行动。

为什么？是先生的专注拒绝了自己，还是别的原因？无从查考了。

犹豫之间，固原小城到了，不知为何，先生在城外下了车。

如果先生当时向车上回头看一下，也许会看到身后这名学生，但是先生的目光仍然在云端，人在下车，目光仍然在云端。

踩着彩云飘去。

那是一朵心中的彩云。

它也许是一位窈窕淑女，也许是一个像窈窕淑女般的梦想。

仍然是那件风衣，只是没有戴白手套。

那时候还不知道什么叫苍凉，现在回想，那个背影是多少有些苍凉的。

谁也没有想到，十几年之后，我们会在一个叫固原的小城相遇，那时我在《六盘山》编辑部做编辑，他在固原地委宣传部任一个部主任。

在固原小城的日子里，先生的身体已经从天空降到了人间，只是眼神里还保留着天空味，后来看了他的书法专题展，才发现这种天空味全部转移到他的笔墨中去了，当然还有他的诗。

我为先生写过一篇文章，大意是先生的书法作品，每幅都是创造，区别于制造，这是先生书法的"不平常"所在。现在回想，这个不平常，正是因为先生的作品中比别人多了些"天空味"。

在固原的小城里，降到人间的先生，当然懂得关心学生，让我结束了租居生活的那间旧房子，就是先生给我打听并一再催促，我才下决心买的。现在，那个六十平方米的房间已经在城市统建中拆掉了，但有一种亲情、一种温暖、一种缘分，却是永远拆不掉的。

那是我这个漂泊的游子落在小城的家，南关巷二号楼一单元302，也叫老地委二号楼，大概是小城最老的楼房了。

在那个六十平方米的家里，我沐浴过世界上最灿烂的阳光，听过世界上最动听的雨声，看过世界上最美的雪花；在那个六十平方米的家里，我出版了第一本散文集《空信封》，写下了后来作为第一本小说集书名的短篇《大年》，也写下了第一部非虚构长篇《第三种阳光》；在那个六十平方米的家里，儿子念完小学，上完初中；在那个六十平方米的家里，我给父母疗过伤，给岳父岳母洗过脚，尽过孝……

每天，当我站在那个阳台上出神时，我都会看到先生家的阳台。

在那个通往固原地委大院的小巷里，我偶尔会碰到先生，和他有一搭没一搭地说些话。当然，先生也会不时到我的办公室来看我，这让我既激动又惭愧。

当然，我也会不时接到他的电话，通知我去他办公室，让我看他新写的书法作品。往往是我最赞叹哪一幅，他就会立马把哪一幅送给我，就像是找着理由给他的学生送墨宝似的。

……

因为本质上他是属于天空的，因此，看破、放下、自在、潇洒、包容、大方，这些对于我们常人来说，需要修持才能抵达的高地，对先生则是自然。因此，当命运把他推向另一个单位的一把手宝座后，他干了没几天，就让我赶快在银川给他找一个悠闲的去处，换一句话说，就是他十分不愿意做这个"官"。

不平常，细想起来，却平常。

至此，我才明白，天空其实是大地。

想念那位穿风衣戴手套的先生，想念当年讲台上的所有先生，包括那位为先生炒菜的女先生。

想念所有的同学。

想念小城，想念小城里和先生毗邻的那个家，包括小城里的所有朋友，包括儿子的先生。

想念之后是感念。

二十年前的一则日记

后面的山似乎马上要扑下来，遮盖了学校。

木框泥大门上的青瓦如老妪的齿，稀稀落落地残缺不全。

上完二十九级土梯，便是校门。进了校门是一个缓坡，缓坡上去是一排教室，教室背后是一个土台，土台上顶着几间泥房子。泥房子靠着崖背，贴了崖背竖着一木杆，木杆上飘着一面国旗，已被风雨漂洗成白色。崖背上飞出一棵杏树，紧依国旗，粉生生开着花，仿佛有人掩了面，只从山崖上偷偷献出一束花给谁，让人猜不透，却给小学平添了许多精神和味道。

崖背后的山坡上拴着一头驴，低了头磨嘴皮。驴肚下坐着一个放驴娃，身边放着一根木棍，抬了头看天。

走走走，风大得很，快进屋。校长说。

才知道已失了态，忙握了校长的手。进屋，屋是崖背下的泥房子。

炉子是洋炉子，却烧的是木柴，火很旺，炉子上架一茶罐，茶罐黑黑的泛油光。课表、计划、制度贴了满满一墙。

老到的书法显示出一种不容忽视的力量。作业本、粉笔盒、锅碗瓢盆摆成一幅油画。土炕味很浓，大红喜字枕巾油光灿灿。老羊皮衣叠在炕角，让人想起雪和西北风。

翻了翻教案和作业，无论如何也挑不出刺儿来。

有两位学生样的娃娃蹲在地上。问是几年级。校长笑着说，他们是两位老师，刚从师范毕业，家在苏堡，苏堡到这儿要近二百里路。校长以感叹的口气说，这两个娃娃从开学到现在一直没回家。

问有什么困难。他们说没有，只是害怕星期六，星期六学生一走就寂得慌，被遗弃了似的。空荡荡一深山上只一座学校，空荡荡学校里只他两人，就脸也懒得洗，饭也懒得做。刮大风的时候，电闪雷鸣的时候，他们觉得满山都是狼和鬼。

学校距乡上约三十里路，鸡肠狗肚似的山路得靠两只脚一步一步地丈量。我问，菜该怎么买？面该怎么打？信该怎么发？他们说菜有乡亲们送的洋芋，面是赶集的乡亲们捎着打的，信也是赶集的乡亲们捎着发的。

一年级大教室里坐了二十名学生，后面空出更大的一块地，洒了水，让人想起空阔辽远的大草原，担心不久会长出什么来。

娃娃教师正讲课，只听得有麻雀在叽叽喳喳地说话，抬头一看，原来它们就在大梁上，盯着讲台上的老师，仿佛正在回答提问。我又看老师和学生，才知我的担心纯属多余，他们压根就没有听见，依然专注地讲，依然专注地听，就像房梁上什么也没有。我又抬头时，那麻雀就悠悠然不慌不忙地从没有被胡墼垒严的窗口飞出去了。

窗子被胡墼垒着，风从胡墼缝里往里挤。

黑土墙上贴了红字标语：好好学习，做共产主义事业接班人。

老师让学生背一首诗，学生就大声地背，声音震天。第一句是普通话，第二句是半普通话，继而带有土味，最后能掉土渣了。

老师就纠正学生的发音。

下课了，校门外子弹似的射进几十个小孩，和奔出教室的学生在一起玩，玩得很亲热。

上课了，又自动出去。

有的趴在大门槛上，面向教室，一种朝圣的目光。

下课，又应铃声跑进来，打伏击一般。

去年五谷颗粒未收，开学初学校无"米"下锅，教师就逐户来叫，答应将自己工资垫书费，才动员来几个，还有更多的孩子，不久将要随父母进山抓发菜。

这是五年级教室，讲台下四个学生，讲台上一个教师。

天黑了，路上有狼，学区主任催我们回乡上。

校长送我们下完二十九级台阶，再回首，那两个娃娃教师还在校门口站着，一脸的憨厚和宁静。

怀念一位把人们从梦中叫醒的老人

那头猛兽就要追上来了，就要抓住我的脚后跟了，我却无路可逃，前面要么是千仞悬崖，要么是万丈深渊。猛兽扑上来咬住我的脖子，我急呼救命。娘的手就伸过来，猛兽就消失了。在我看来，南师的著作，就是娘伸过来的那只手。那是一种能够把人从假象、执著、错觉、迷信中带出来的文字，它让我明白，真幸福只有醒来才能感受得到。

已记不得是哪一年的哪一天，在固原的一家私营书店里，一本名叫《金刚经说什么》的书进入我的眼帘。近前一看，作者是南怀瑾，北京师范大学出版社出版的。翻开封面，就被一种无法言说的目光击中了，比温暖更温暖，比清凉更清凉，比感动更感动。看简介，分明是一位年过古稀的老者，但那目光却是孩童的；看简介，分明是男性，但那目光却是母性的……假如那个店主足够的细心，就一定会发现，一个身穿藏蓝色风衣背着黄书包的小伙子陷入一束目光之海，不能自拔。

一看内容，却被"吓"了一跳：居然是一本"迷信"读本。再看出版社，又找不出什么不对劲。国家允许出版"迷信"

读物了？看看四周，确认没有认识的人，赶快付钱，然后跑步回家，闭门掩窗，狂读一气。得出的结论是：反迷信。

那是一种从未有过的阅读体验，比看自己最喜欢的小说快乐，比和自己最喜欢的人在一起开心。世上居然还有这种读本！山城固原居然有这样的书店！更为重要的是，国家居然允许这种"迷信"读本出版了？

又回到书店，把仅有的几本全买了，放在书柜里，遇到人生失意者、病苦者，就送他们一本，不想很有疗效。之后，一旦碰到南先生的书，不管是什么内容，不管是哪家出版社出版的，总要买回来，并不为看，只是放在书柜里，就觉得心里踏实。

但在南先生的著作中，我读得最认真的还是他的《论语别裁》，在拙著《寻找安详》的引文里，我曾讲过这本书对我的启迪。2006 年，银川市委宣传部杨萍副部长邀我在银川市图书馆讲孔子，便找了不少《论语》注本来读，同时重读《论语别裁》，对比之下，还是更喜欢南先生演义的那个孔子。为此，我又读了他的《原本大学微言》，真是好。

在市图书馆首讲之后，有不少单位邀请我讲孔子，包括全国一些地区和高校。在学讲过程中，特别是在问答环节中，我发现，焦虑症已经成为这个时代最大的猛兽，因之自杀者已经远远超过交通事故。遂把更多的精力放在安详的研究上，儒家的训蒙养正读本就成了我的主要研读对象。实践过程中，脑海里渐渐形成了人格成长次第，那就是建筑原理。建筑原理告诉我们，地基是第一需要重视的。

为此，我在多个场合建议喜欢南怀瑾先生的书的家长们，一定要把扎根教育和读南先生的书结合起来，南先生也强调扎根教育，但更侧重心灵的"上层建筑"。依我浅见，在当下社会，我们首先要补的课可能是扎根教育、奠基教育，尤其是孝道和师道的教育，否则，我们很难真正走进南先生所描述的智慧喜乐世界。南先生晚年倡导"儿童中国文化导读"，也许正是看到这一点，如果假以时日，相信先生还会倡导"儿童中国文化导行"，因为只有落实在"行"字上，才能把文化变成我们真实受用的东西。正是基于这样的思考，我不揣浅陋，写了《〈弟子规〉到底说什么》一书，用一半篇幅探讨了"行"的问题、"落地"的问题，多少引起了一些同道的共鸣。

我也提醒过正在读南先生著作的朋友们，在遍览先生著作的基础上，我们一定要选择先生介绍的醒来方法中的一种，一门深入地学习，不要面面俱到，否则最后可能会一事无成。从家长和朋友们反馈来的信息中得知，这些建议还是有些道理的。

壬辰中秋，一个伟大的灵魂离我们远去，让我们共同怀念先生！

雷抒雁老师和他的第二故乡

稍稍懂得一些祝福大义后，会在亲人或者亲戚朋友的亲人归去后的一段时间内，每天为他们读一些祝福性的文字，觉得以这种方式送他们一程，很是安慰。有时甚至觉得，夜深人静的时候，随着文字，走进祝福，要比到现场送行，更"真实"。但自去年以来，明显感到，人们归去的脚步匆忙了起来，以致给一位的还没有读完，另一位的消息就来了。这不，雷抒雁老师的消息到了。2013 年 2 月 14 日丑时，他归去了。

坐在电脑前，首先浮现脑海的是十年前，他手术后，我去北京看他，他在病房给我讲了两件事：

一是大夫让他的家属在手术单上签字，他说，给我动手术，让家属签什么，我自己签，他就在手术单上签了字。大夫十分诧异地说，从来没有谁自己给自己签字，你是一个特例。二是手术时，他感觉他的灵魂在天花板上，看着大夫在紧张地修理着他的身体，直到结束。

说实话，那次之所以赶去看望老师，是感觉他不久就要归去了，正如我急着去看望杨志广老师，果然不久就归去一样。

不想抒雁老师却从阎王的腋下溜了出来，在这个世界上又旅行了十年。

曾在一篇文章里写道：当年，是我的老领导高耀山老先生硬把我赶到鲁迅文学院去的，那是鲁院第二届高研班，大概也是鲁院历史上唯一一次主编班。当时，听说宁夏还有一位前辈想去学习，但一个省区只有一个名额，我就主动放弃了报名，高老先生知道后，训斥了我一通，然后给时为常务副院长的抒雁老师打了电话，给宁夏又争取了一个名额。不想正好碰上"非典"。按照去留自愿的精神，我们班上有十一位同学选择了留守，我是其中一员。那期间，每次接到老师们的问候电话，就觉得非常不好意思，可以想象，老师们是在如何地为我们操心。那真是一段让人刻骨铭心的经历。复学后，抒雁老师会不时把我叫到他办公室，聊聊老家的事情，从中，能够感受到他是怎样地惦念着那片土地。

大概是自己没有正儿八经上过大学的原因，潜意识里，就特别在乎鲁院的这次师生同学情谊。随着岁月的流逝，越来越思念那个校园，那些老师，那些同学，觉得其中有着无法言说的缘分，让人一次次心生感恩。

因为这种师生关系，加之宁夏是他的第二故乡，我曾两次请老师到银川参加我们的大型诗歌活动，一次是第二届中国银川音乐诗歌节，一次是宁夏首届黄河金岸诗歌节。每次都会给宁夏大地带来难得的诗意。

2011年，我作为宁夏首届黄河金岸诗歌节的承办人之一，提议为老师安排一个诗歌朗诵专场，得到了负责这次诗歌节的领导宁夏党委宣传部尤艳茹副部长和宁夏文联哈若蕙副主席的肯定和支持。为此，我让银川诗歌学会的张涛会长联系宁夏大学、北方民族大学、中国矿业大学等高校，得到了几所学校校领导，特别是宁夏大学宣传部李斌部长、北方民族大学人文学院左宏阁院长的热情呼应。为了让大学生们感受诗歌，感受时代，我们没有走专家朗诵路线，而是选择了草根性推广式排练，让愿意参与的学生都参与进来。一时间，校园里掀起了"人民诗人"热。

朗诵会在宁夏大学非常专业的音乐大厅进行。银川诗歌学会、宁夏大学宣传部、北方民族大学人文学院等承办单位组织得非常用心，气氛格外热烈，为了抢座位，不少学生提前一小时到场，连走廊里都挤满了人。从朗诵者的状态上，我感受到了"人民诗歌"的魅力和力量；从老师的神情上，我感受到了他的满足。有几个细节：一是老师几乎答应了每一位请求合影的同学，直到会场灯灭，不得不结束。二是离开会场时，老师摸黑走到后座，捡了几份没有被带走的节目单，十分爱惜地装到包里。第二天，宁夏的所有媒体都报道了这场朗诵会。

我从高耀山老先生手里接过《黄河文学》后，老师多次支持大作给拙刊，其中有不少被转载。近几年来，他给我谈

273

得最多的是对《诗经》的理解，看那架势，像要下决心把《诗经》普及到全球去。虽然在对《诗经》的理解上，我们有些不同之处，但我非常敬仰老师的精神，也许正是因为这一点，阎王才有意打了一个盹，让他从腋下溜走，让他在这片古老的诗国又驻留了十年。

再次想起十年前，他是如何自主签手术单，灵魂如何在天花板上，从容地看着大夫在修理他的身体。

恍惚间，我仿佛听到，有人在春风中吟咏：

> 葛之覃兮，施于中谷，维叶萋萋。
> 黄鸟于飞，集于灌木，其鸣喈喈。
> 葛之覃兮，施于中谷，维叶莫莫。
> 是刈是濩，为絺为绤，服之无斁。
> 言告师氏，言告言归。
> 薄污我私，薄浣我衣。
> 害浣害否，归宁父母。

愿老师走好！

鲁甸七日适逢中元

鲁甸地震，让我们看到生命的脆弱。中午还在一张桌上吃饭，还在一张床上睡觉，午后便是阴阳两隔，平时的音容笑貌，永远成为往事。

有多少儿女，多想再听一句父母的唠叨，却突然发现，再也没有可能。

有多少父母，多想再给儿女做一顿饭菜，却突然发现，再也没有可能。

那把属于他的凳子，永远闲着了。

那张属于他的床，永远空着了。

多少人，第一次体会到天塌下来的感觉。

多少人，第一次体会到物是人非的滋味。

整个世界，都被逝者带走了。

剩下的日子，成为一种空壳。

生命的确是无常的。

但爱有常。

七天来，无数的爱心从四面八方汇聚到灾区，让人感动，让人落泪。

突然对同胞之情有了新的理解。

如果没有这些同胞，那些停止了的生命该如何收场。

如果没有这些同胞，那些被困者该怎样从死神手里挣脱。

如果没有这些同胞，那些幸存者又该如何在废墟上度过震后生活。

羞愧的是，我也是一位"同胞"，但我没能走进灾区。曾经无数次动过组织一次文艺界义卖的念头，就像当年汶川地震、西南旱灾时那样，但最终因为种种顾虑没有付诸实施，只能让妻子找个通道捐些款表达一份心意，只能每天关注着相关报道，含泪为他们祝福。

凑巧的是，鲁甸七日，正好是中华民族集体祝福的日子，相信那些逝者、伤者、悲者，都能在这集体祝福的日子里，得到一份安慰，一份能量。

愿所有的逝者，安息！

愿所有的伤者，安康！

愿所有的悲者，节哀！

愿所有的同胞，吉祥！

文学到底是什么

这个世界上为什么有作家？因为有读者。

什么样的作家才是好作家？还得从读者说起。

作者和读者的相逢是一个因缘，一个充满偶然但又必然的因缘。

一粒种子进入土壤，这粒种子就是因，土壤就是缘。只有在因和缘同时具备的情形下，一片庄稼才会长出来。一粒种子，我们把它放在玻璃器皿里面，可能千年万年都不会发芽，可一旦遇到土壤，它就发芽、开花、结果。

一粒文字的种子在进入读者心田的时候，它是带着这种非常奥妙的因缘去的，怎么样的土壤更适合种子发芽，它是同气相求的，这既是文字对读者的选择，又是读者对文字的选择。文字之所以诞生，正是因为读者的召唤。正是因为有召唤在，所以才有诞生在。

在我看来，写作的奥妙就在这里。

写作的过程就是一种情怀、一种理念、一种价值取向诞生的过程，它本身是在发出一种信号，是在召唤和它有缘的人。

我们经常讲随缘，实际上是不大懂得随缘的。随缘不等于随波逐流。一个人对这个世界了悟于心之后的一种选择，才能叫随缘。它是一种大觉悟的境界，当一个人到你面前的时候，你能"识得"其背后的宿命，这才叫随缘。

农民是最随缘的，他知道什么季节种什么粮食，什么地里种什么种子，绝对不会逆时序去做；他知道"清明前后栽瓜点豆"，不可能秋天冬天去栽瓜点豆，这是一种了不得的了悟世界或觉悟世界的方式。

一个成熟的作家，他最尊重他的读者，而他的读者也最尊重他、热爱他。

中国古人讲"慈"，讲"悲"，说穿了就是讲"爱"。他们甚至认为世界的原点就是爱，这个造化的"心脏"就是爱。从这个意义上去理解，人为什么渴望爱？人为什么会被爱打动？因为那是我们的原点！是生命出发的地方！也是归宿！

中国古人还讲"人之初，性本善"，"本善"就是本来的那一块，本来的那一块材料，创造生命的那一块材料。打个比方，如果我们把世界看作千姿百态的美食，那么"本善"就是造化之厨手中最初的那一团面粉。

为什么人是千差万别的，因为"性相近，习相远"，是习气和污染把生命变得千差万别。

因此，回归生命的过程就是反污染的过程。我认为，文学和文字在一定意义上讲就是帮助人们清洗心灵灰尘的一个载体，这是文学在"本来面目"上的一个意义。

因为生命最本质的诉求是回归，回归到本有的光明，回归到本善。

如果一篇文字没有帮助读者清洗心灵，没有帮助读者找到本原意义上的光明，反而给心灵又增加了一层污染，这样的文字是需要我们警惕的。

古人讲"舍得"，就是告诫我们要时时刻刻警惕应该舍去什么，留下什么，欢迎什么，拒绝什么，拿起什么，放下什么。

生命的艺术说到底是"舍得"的艺术。

舍什么，怎么舍？

并不是要我们把世界舍掉，把生命舍掉，把生活舍掉，而是把自私舍掉，把欲望舍掉。

"舍得"是讲只要我们把物质诉求打扫干净，不用去求，心灵自会焕发光明，这叫做无求自得，自然所得。

什么叫自然？本来就是。我们的心灵本来就是一颗明珠，只不过被污染了而已。只要我们把外在放下，内在自然出现。由此可知，"得到"只不过是"放下"的代名词。

古人讲，人人都有智慧，有大智慧，只不过是被遮蔽了而已。真正的文化就是要扫除这一层遮蔽，就是要扫除掉世世代代积淀在我们心灵上的那一层灰尘。由此看来，"身是菩提树，心如明镜台，时时勤拂拭，勿使染尘埃"讲的正是文化的要义。就是不断把我们的心灵擦亮，保持光明。如果镜子上有灰尘我们是看不见自己的，更不要说去看世界。

文学要向太阳学习。

太阳每天从东边升起，照耀四方。它没有想着今天要照哪个人不照哪个人，只要把自己的光辉散发出来就行了。

作家的职责就是通过文字把那一份光辉散发出来。至于读者怎么去选择你，怎么收藏，怎么相守，那是读者的事情。

因此，我们不能在写每一篇文章的时候，都假定一个读者群。现在有好多作家就这样假定，有些说他是为孩子写作的，有些说他是为中年妇女写作的，有些说他是为空巢家庭写作的。如果从商业策略来讲的话，这种战略和战术是对的。而文学则是反商业的，它是神圣的崇高的，是要我们带着神圣感去从事的。

当我们带着神圣感去从事这份工作的时候，神圣感会成

全我们，因为"爱"是相互的。当我们心里有个很大的愿望，要为世道人心，为苍生去做一些什么的时候，境界就不一样了。

不要小看古人常常讲的"国泰民安"这个词语，过去的文人士大夫就有这个愿望，希望国家昌盛平安，希望老百姓过上好日子。这不是作秀，他们就认为这是自己的一份职责，就要铁肩担道义。想想，当一个人把道义扛在肩上那是一种

什么样的重量，什么样的感觉。特别是在现在这个社会，铁肩已经不行了，要担起那个道义，需要钢肩才能担得动。

任何作品，打动读者的无非是真善美，无非是温暖，无非是爱，说得形象一些，就是能够撞击到读者心中最柔软地方的文字。

它首先应该是美的文字。

那么什么是美？争论了几百年，仁者见仁，智者见智。

比较一致的看法是，美是和谐，这是美的通意，应该没错。但我后来发现，和谐强调的还只是形式，是"相"。就像谈恋爱，往往是对方的外表先打动了自己，但是漂亮不善良，还是经不起时间的考验。

追溯到善，觉得比和谐进了一步，但还是不究竟。后来读经典，当一种永恒的感动和喜悦在心里发生的时候，蓦然觉得"真"才是最美的，因为"真"是归途，是生命的原点。

由此就可以区分一流作家与二流作家。

一流作家占领的是原点，他给人的是从心灵原点流淌出的清泉，他启迪的也是读者的原点。而二流作家只能摩擦心的表皮，甚至连表皮都触不到，他可能会把你挠得痒痒的，但不解决问题，读完后生活还是老样，涛声还是依旧，这是一种文学搔痒，就像浇花没有浇根。

二流作家是在玩文字游戏、文字迷宫，看上去在追求和谐，其实是一种伪和谐，连"善"那一层都没有达到，怎么可能达到"真"那一层呢？所以这种文字注定不能传世，即便擦出火花来，也注定是短命的，因为火花毕竟是火花，不是火炬，不是夜明珠，不是金子，没办法保持它的生命力。

"真"随着时代的变化需要不同的载体，这就是文学。在我看来，这也是为什么老子和孔子会诞生在中国，乔达摩·悉达多出生在印度，他们是奔着特定的因缘去的，奔着他们特定的土壤去的。如果我们把他们看成是种子，他们找到了属于他们的那一块土壤，但他们的目标却惊人地一致，都是为了演说一个字：爱。

一个真正的作家，包括文化人，应该向这个世界发出正直的声音，那就是爱，没有区别的爱。

我特别喜欢"众生"这个词。在古人看来，不但人是一个共同体，动物也被纳入到这个共同体中，统一叫生物，叫"众生"，叫"有情"。

在古人看来，所有的生物，包括一草一木和我们都是平等的。带着这样一种心态去面对世界，心里就会充满快乐，因为满眼都是我们的兄弟姐妹，如此我们就不会在大地上看到一只小羊羔的时候把它视为盘中餐，在天空看到一只大雁的时候把它视为碗里羹。

古训"求之不得"告诉我们，以一种欲望的心态向大自然和本体世界去索取的时候它不给予，因为它知道这种需求是物质的，不是本原的。

天堂在什么地方？天堂就在我们的心里，只不过我们已经遗忘了它，我们已经找不到通往天堂的路。

如此看来，文化是道路，是方向，文学亦然。

一次演讲时学生给我递条子，问怎么样才能获得好运气？我说，只要你是一个吉祥的人，就会时时刻刻在如意里，这是一个天然的关系，也是一个必然的关系。

古人的逻辑是积善之家必有余庆，积恶之家必有余殃。就是说家族也好，人也好，只要从善，肯定有好的结果。

什么叫好运气呢？好运气就是去为别人着想时自然开出的花，好运气是爱的副产品。就拿财富来说，好多人以为到庙里面去烧一炷高香，就能发财。不是的。如果这条路线能够走通，那庙里面的神就不是神了，不值得我们尊重了。

财富到底是从什么地方来的呢？

古人的逻辑其实很简单，就是种瓜得瓜，种豆得豆，我把它称作"瓜豆原理"。而现在不少人信奉种豆得瓜，这是一种投机逻辑。股票和彩票的逻辑就是一种投机逻辑，每一个人都想通过注入两元钱赚得一百万，而财富的总量就是那么多，不是投机逻辑是什么？原本财富就这么多，它不会因竞争技术的提高而使总量增加。所以竞争得越激烈，消耗得越快，自然就崩溃得越快。

当年孟子见梁惠王。惠王说，老先生，您不远千里而来，将有什么有利于我的国家吗？孟子回答道，大王，您为什么一定要言利呢？只有仁义就够了。上上下下互相争夺利益，那国家就危险了。在拥有万辆兵车的国家，杀掉国君的，必定是拥有千辆兵车的大夫；在拥有千辆兵车的国家，杀掉国君的，必定是拥有百辆兵车的大夫。在拥有万辆兵车的国家里，这些大夫拥有千辆兵车，在拥有千辆兵车的国家里，这些大夫拥有百辆兵车，不算是不多了，如果轻义而重利，他们不夺取（国君的地位和利益）是绝对不会满足的。但没有讲仁的人会遗弃自己父母的，没有行义的人会不顾自己君主的。大王只要讲仁义就行了，何必谈利呢？

释家说，众生平等。这四个字里蕴涵着无尽的关怀和真理。每一个发动战争的人，每一个为战争去游说的人，根本就没有弄懂什么叫人，他把手放在胸前称赞上帝，但他根本不懂上帝。

当然，这个世界也有一部分人可能需要用一种强制的手段教育他，但是教育不等于消灭，所以孔子当年在各国间奔走，用教化，用教育；而释迦提供的是更极端的一种方式，他甚至连王位都放弃，从皇宫逃跑，做一个苦行僧，他要用这样的方式找到一种大爱、大自在、大幸福，他觉得权力解决不了问题，金钱解决不了问题，军队解决不了问题，这些都解决不了人的烦恼，他要为人们寻找一种获得真正幸福的方式。

圣哲提供的就是这种东西，包括老子、庄子，有人请庄子去做宰相，他不去，宁愿做一只泥塘里的龟。

这又回到价值取向的问题了。

道家的无为并不是过去我们在历史课本中学到的消极不做事，无为是什么意思？无为就是不要为欲望去做事，不要为感官去做事，无为即"舍得"，是大积极。

舍掉那种短暂的形而下的东西，而去证得永恒，这叫无为。这就像一个杯子，要让它能有水装在里面，就必须让它先空着，这叫无为；把物质占领的空间空出来，让灵魂得以滋养自在，这叫无为。

现在有些做父母的都不敢让小孩去看老庄哲学，认为会让人消极，那是没有读懂老庄，如果读懂他，人生态度就会更积极。

有些人甚至不敢给自己的小孩提禅宗提佛学，认为那也是消极，其实也是一个天大的误会。

当每一个学子带着一种为人民服务的心态去学习的时候，还需要父母督促吗？还需要老师督促吗？不需要了，他已经把学习变成一种快乐了。他会把"苦其心志"作为一种快乐。为什么？天将降大任于斯人也。

我们应该重新打量"敬畏"这个词。现在的不少决策者面对自然时心里可能没有这个概念，只想着经济指标，没有想到如果把地球比作一个人，我们已经快要抽干他的血，快要吃完他的肉，现在正在敲骨吸髓了。

这几年我写传统节日比较多，因为节日是中国人非常经典的一种天人合一的方式，一种回到大地和岁月的方式。不然，我们虽然在大地上生存，但是已经忽略了大地；我们虽然在岁月之河中穿梭，但是已经忽略了岁月。

恰恰给了我们生命以保障的东西，我们反而忽略了它，比如水，比如空气，比如阳光，比如时间，比如空间，还有爱。

我们可能满眼都是高楼大厦，都是红灯绿酒，但是我们看不到空气，看不到阳光，看不到水，当然更看不到时间和空间，还有爱。

就是说，最有恩于我们的东西，我们反倒对它熟视无睹，这是现代人最要命的一个缺失。

而传统节日事实上就是以一种强迫的方式让我们面对大地，面对岁月，感谢厚土，感谢造化，珍惜资源，珍惜恩情。

古人讲"大地无言，万物生长；日月无语，昼夜放光"。如果我们有足够的细心去打量，就会发现大地真是太伟大了，她生长鲜花、生长庄稼、生长快乐，同时她也承载污秽、承载坏苦、承载灾难，我们每天把多少脏东西给她，但她从来没有怨言，没有说要选择哪一部分，拒绝哪一部分，而是全然接受，她表达的是一种平等，一种无分别。

想想她的这种无言，她的这种大爱！如果我们读懂了大地，就明白了什么叫爱，什么叫善，什么叫美。日月也一样，也没有根据自己的好恶去选择照耀哪一个人。借用一个古词，就是"无缘大慈"。

在我理解，这是中国文化的根本背景，也是中华民族的根本美德。

中国古人有一个词叫"布施"，用现在的话说就是奉献于对方，这个奉献有物质的，有精神的。

作家应该带着一种布施的心态去写作，这个布施不是给读者一块金或银，而是给他一个火种，或者说给他一杯水，让他本有的心灵明珠焕发出光彩，这也就是感动之所以发生的原因。

这就像一只困在笼子里面的鸟，当别人帮它打开笼门的时候，当它在天空翱翔的时候，感动发生了吗？肯定发生了。

所以说，文字是一条回家的路，更为准确些说从"真"那里流淌出来的文字是一条回家的路。

从这个意义上来讲，文字不但是一条回家的路，也是打开自己的一个方式，是一串串钥匙。

一个被捆绑的人是没办法自己打开自己的，必须有一个第三者去打开。几千年来流传下来的古圣先贤的教诲，那些经典，其实就是一串又一串的钥匙。

在我看来，不是文学已经死亡了，或者说文化已经衰落了，是我们作家自己把自己的行情搞坏了。因为每个人的心灵中都有缺失的那一块，作为作家，只要能够填充那一块缺失，文学就不会死亡。

只要人存在，文学就存在。

我们为什么要悲观呢？

我们之所以悲观，是因为找不到读者心中的缺失所在，因而没有自信。

而现在我们看到的事实好像是文学不景气，我认为作家要从自身去找原因。

期待把弄反的文学正过来。

提防不洁的文字

茶杯刚用完就洗，在清水中冲一下就可以了；但是过上一会儿，就需要茶巾了；再久一些，茶巾都没办法了。

这让我蓦然想到时间。结在杯子上的，不是茶垢，而是时间，一种非当下的时间。

由此又想到神秀大师的偈语："身是菩提树，心如明镜台，时时勤拂拭，勿使染尘埃。"

因为有慧能大师对比，曾经觉得神秀大师不怎么的。但是现在看来，神秀大师已经是了不得了，而且他的"药方"可能更适合我们。因为更多的人根本无法做到真空，而只要"有"在，就不可能不染尘，因此还是"时时勤拂拭"靠得住。

"菩提本无树，明镜亦非台，本来无一物，何处惹尘埃。"妙是妙，却让我们无法企及。

心灵明珠之所以蒙尘是因为它没有一双除尘的手，为此明珠不明。

那么生命呢？一个双手被绑的人是无法自己松绑的，就像一根沉睡的蜡烛无法自燃。为此，"对方"就显得重要，火种就显得重要，已经解脱的人就显得重要。

沉睡何尝不是另一种尘垢，绳子何尝不是另一种尘垢？

它是何时落在我们身上的呢？

我们又是如何落入它的圈套中的呢？

我们找不到答案，因为我们的心上满是尘垢。

尘是最不起眼的东西，最容易让人忽略的东西，但正是这种不起眼，让我们在不知不觉中蒙上了眼睛。一双蒙尘的眼睛当然看不到真相。

一个蒙尘的心灵呢？

尘是落的，垢是结的；尘是无法避免的，垢是可以避免的。因此尘可以借助吹气扫除，垢则需要水了。

这让人不由想到水，假如这个世界上没有水？

剩下的话都毋须说了。

水，一个多么盛大的慈悲。

水不能洗水，尘不能染尘。

太喜欢这个句子了。一个多深多大的奥妙啊。

水为什么不能洗水？因为水是无分别的，准确些说是无法分别的，更为准确些说是同体相生的。它是"一"。一滴脏了，所有都脏了。水是无法把其中的任何一滴脏水从中清除的，因为一即亿。

这个秘密真是太大了，大得让人胆战心惊。

那么怎么办呢？只有防微杜渐，只有从防做起。

这就回到尘，回到"小土"。

但尘几乎是无法避免的，为此除尘显得必需。

剩下的事情，就是除尘了。甚至可以说是全部，生命的全部。

尘为什么不能染尘？因为尘是无分别的，只要是尘，不论你是哪路来的，姓甚名谁，都是一样的。为此，尘就有机可乘。因为前尘，后尘得逞；因为后尘，前尘得逞。

这个天大的掩护，就打到底了。

只要是尘。

在我看来，这个世界上最可怕的尘垢，可能是不洁的文字。它们不经意落入我们心田，积久成垢，再久成岩，洗也难了。

灵魂往往就是这么窒息的。

即使洁净的文字，假如不能变成水，也是灰尘之一种了。

为此，水性的文字才是地道的文字、善的文字。

而要把文字变成水，或者说让如水的文字流布人间，需要怎样的一种心泉？

由此观之，一直争论不休的真假文学之辩，也许就有了依据，同时也变得明了起来。

而尘是无法避免的，只要我们在时间里。

那么洗就成为生命的必须和必需。

那么水就成为生命的必须和必需。

那么如水的文字就成为生命的必须和必需。

那么生产净水的人就成为人类的必须和必需。

那么，文学还会死吗？

以笔为渡

鲁院的课堂。一位老师在说文解字，老师的意思很明确：文字绝对不是来源于劳动，而是圣人所造。我同意老师的观点。老师借助文字讲了许多"新意"，有许多绝妙的引申和发挥，我很佩服。比如他说，"错"是"像金子一样的过去"，"对"是"手中的叶子"，相比之下，"错"更值钱。老师没有深讲，但我的理解是，对于生命成长来说，错误要比正确有价值。但也有个别的字，我有不同看法，比如"知识"的"知"。老师说，"知"是射入口中的箭，是一种伤害，所以知识并不可爱。我对"知"的理解恰恰相反，我觉得它不是射入口中的箭，而是射出口中的箭。它的意思是说，话一出口，它的错误已经像射出的箭那样离题千里，不可收回，所谓"一言既出，驷马难追"是也。它事实上是一个圣人心中巨大的焦虑。它告诉我们，不要说，不要说，一说就是错。换句话说，就是语言永远无法抵达目的，要想借助语言表达，永远是一个遗憾。所以古人以"不立文字，以心传心"为心灵交流的理想方式。

不知出于什么考虑，老师讲完，主讲课的张晓峰老师点名让我提个问题。我是个不善于在众人面前出头露面的人。而且一学期下来，主讲课的老师从来没有点过我的名，为什么恰在这堂课上要我提问？但老师点名了，就不好拂其意，让老师冷场。于是硬着头皮讲了自己对"知"的理解。不想，老师很赞同。但我马上想到，我又向老师，向五十位同学，向这个世界，射了一支无法收回的箭。

　　下课之后，我就把这事忘了，但同学们却没有忘。我一开口说话，捣蛋的同学就说，不要说，不要说，一说就是错。后来，我还真不敢轻易说话，或者要说时，先要考虑一下这话是否必须要说。总之，有那么一段时间，我的话少了起来。

　　现在，我的手指在键盘上飞舞，在狂奔，在欢腾，在兴致勃发地"说"。我看到，有无数的箭经由我的十指，在我面前纷飞。我问自己，为什么要把这些箭射出去？为什么要给这个宁静的时空增添这些纷乱？

296

　　此后的一天，还是鲁院的课堂。一位英雄在给我们讲其英雄事迹。讲得如何暂且不说，但当听到他说中国的道家无非是两个玩意"一是长生不老，二是金枪不倒"时，我就不可忍受了，一种从未有过的冲动让我想站起来反驳，但又想这一做法可能给学校带来麻烦，不是一个好学生该做的。可我的屁股动员我离开，就离开了课堂。应该说，我是一个好学生，毕业时因为缺课少得到了学校的通报表扬，但是那堂课我没有听完，也是唯一一堂我没有听完的课。请原谅我的冒失，但把自己的本教用"玩意"称，我实在不敢恭维；把我们老祖先博大精深的"道"用"长生不老"和"金枪不倒"概括，我也不敢恭维。我知道自己的量级不够，不能捍卫真理，但我起码可以捍卫我的耳朵，我不想让这样不干净的句子弄脏了我的耳朵。

　　静下来后，我又想到了那个"知"，想到了"说"，既然"说"如此不可靠，为什么要如此介意一个人的信口雌黄？为什么要如此介意自己的耳朵？

　　苏东坡到金山寺和佛印禅师打坐参禅，觉得身心通畅，问禅师，禅师，你看我坐的样子怎么样？佛印说，好庄严，像一尊佛！东坡听了非常高兴。佛印禅师接着问东坡，学士，你看我坐的姿势怎么样？东坡从来不放过嘲弄佛印的机会，马上回答，像一堆牛粪！佛印禅师听了也很高兴。东坡见将佛印喻为牛粪，佛印竟无以为答，心中以为赢了佛印，于是逢人便说，我今天赢了。消息传到妹妹的耳中，妹妹问道，哥哥，你究竟是怎么赢了禅师的？东坡眉飞色舞神采飞扬地叙述了一遍。苏小妹听了哥哥得意的叙述之后，拍案大笑。东坡问，你笑什么？小妹说，你今天可是输惨了。东坡问，为什么？小妹说，亏你学佛多年，连一个基本的道理都不懂，

297

佛理上不是说，境由心造，相由心生，心里是什么，看到的就是什么。人家心里是佛，看到的也是佛，你心里是牛粪，看到的当然是牛粪！东坡哑然。

一天，当我整理书柜，翻检自己十几年来发表的所谓作品的时候，再次想起这个故事，突然有种获罪的感觉。十余年就这样过去了，以写作的名义。这十余年来，我不知道都看到了些什么，又"说"了些什么。我不知道在我的"小妹"眼里，是输得多还是赢得多。真是诚惶诚恐。

喜欢一个人：六祖慧能。他是中国禅宗的实际开创人，他的学说是中国禅宗典籍中唯一被称作"经"的，即著名的《六祖坛经》。它不但成为中国禅宗的一个杰出经典，也是东方文学艺术的一个重要方法论，中国许多著名文学艺术大家都从其中得到营养。但是有一个现象似乎没有引起人们的关注，那就是六祖慧能一字不识。一个一字不识的人，能够成为中国禅宗的开创人，其学说为历代高级知识分子仰视，这不能不说是一个值得研究的现象。按照现今的逻辑，他是一个最没有经过"说"的训练的人，也就是最没有资格"说"的人，但他的"说"却恰恰使听者大欢喜。

由此我再次想到"知识"，想到那些箭。经由技术超越技术，是一个方法论的问题，最终也是世界观的问题，更是一个立判凡圣的分水岭。就像一头狮子，它没有学过武术，但是学过武术的人不一定打得过它。

"路逢剑客须呈剑，不是诗人莫献诗。"细想起来，写作者的幸运也是剑的幸运，同样，写作者的烦恼也是剑的烦恼。一个人，怀揣一把天命之剑，苦苦寻觅，寻觅那个识剑者，生生世世。直到一天，一双慧眼出现了，出现在持剑者面前，那是一对宿命的慧眼，像剑一样把剑照亮，也把持剑人的泪水照亮。持剑人便到达，剑的"说"便到达。一把剑，就这样涉过了它宿命的茫茫大海，完成了它的"说"！

从此得渡。

欸乃欸乃！

但我依然不明白的是：是剑得渡，还是持剑人得渡？

如莲的心事

　　非常喜欢老祖先的一个词"种智"。它可以作动词，即种下智慧，也可以作名词，即智慧的种子，或者说是智慧的根本。智慧如此，我想美也同样。曾经以为和谐就是美了，后来发现它不是，它强调的还是形式。有那么一段时间以善为美，但渐渐地发现它仍然不究竟。后来找到"真"那里，觉得到家了。有一天仿古人自造了一个词"种美"，觉得很得意。这个"种美"应该就是那个"真"。需要说明的是这个"真"和通常意义上我们讲的"真善美"的"真"不是等量概念。它是一个背后的东西，是时间之洋，原因之洋，也是大美之洋。心向往之，尝试着把它变为实践，写过一些短篇，多数人读过的感受是清凉、安详、开心，还有人说有一点点治疗的效果。但自己觉得仍然没有触摸到它（种美）的边儿，为此羞愧。

　　曾经喜欢"不平常"的文字，但是很快就发现"平常"才是"不平常"。作为一个作家，需要时刻检点自己的文字，收敛放纵的习气、卖弄的习气。要使自己手中的笔具足方便之德。现在，我们有些文字太不方便，让别人读起来吃力不说，更重要的是污染、带坏人，那种文字肯定来自不方便的心灵。在做人上方便别人是一种美德，在做文上可能是一种美学。电影《功夫》里有个情节，音乐可以杀人，我觉得不是演绎。音乐的确可以杀人，文字也可以杀人。当我们每天看着安详的文字，就心平，而只有心平才能气和。而气，在中国就是原始生命力。恶劣的文字通过眼睛，种在心田，无异于毒药。在我看来，文字就是大米，大米养身，文字养心。古人说，"计功多少，量彼来处，忖己德行，全缺应供。"这几年，每当我喝一口水，吃一粒米的时候，都要在心里默诵这句古训。它的意思是：想想我们用的这些东西，其中包含着多少造化的慈悲和人的辛苦，再想想我们的德行，配用这些慈悲和辛苦吗？对于文字，我想也同样。

先哲讲，定能生慧。我想文字也同样。定是一条道路。据说走钢丝的人假如心中稍有一丝杂念，便会失败。他需要一种持久的定。带着文字行走的时候，我也觉得自己是在走钢丝。左右都是死路，道路只有一条，即是那个不左不右。功夫界有个词叫"中门"，当你处在"中"点上时，你也就处在了"力"点上。所以，能够"得定"理应是一个作家必然的追求。定能生慧，定也能够生静，生美。具有定感的文字肯定是透明的，滋润人心的。"开心"这个词大多时候被人们当形容词用了，我觉得它更应该是一个动词，"使心开之"。人们之所以烦恼，就是因为心没有开。当一个人的文字能够使别人开心，那是不小的功德。但我的文字还有风，还有摇摆，还有浮躁，还不到家，还需要下大功夫修"定"。

一直在想释家为什么那么看重莲花。直到有一天站在一个烂泥塘边，我才明白，莲是花里面的行者，它是一种会修行的花。它生在污泥当中，长在污泥当中，却能够保持自己的高洁。我们可以想象，它是如何打扫它心里的污泥浊水的，如何保护它的身口意的。对于莲来说，能够在污泥中完成它的成长、绽放、盛开，已经足够。至于是否有人观赏，那是观赏者的事。

有两个射手去应试。一个百发百中，一个百发百不中。但师父最终收下了那个百发百不中的。人们百思不得其解。师父的答复是，那个百发百中的虽然命中了目标，但他却没有"命中"，那个百发百不中的虽然没有命中目标，但他却"命中"了。听上去像在绕口令。且听师父高论：那个百发百不中的，看上去偏离了目标，但他却没有偏离目标，因为箭射出的那一刻他是知道的；而那个百发百中的虽然训练有素，技术过关，但在箭出弦的那一刻他是"睡着"的。师父的标准是"知道"。多年来，我一直对这个公案百思不得其解，心想这个师父真是一个不讲道理的家伙。五年前，我开始写一个具有交代性的短篇《水随天去》。当我跟着我的人物水上行，行走到某一天的时候，我无比震惊地发现，我们拼着命中的目标，其实不是目标，那个我们千辛万苦追索的目标，恰恰就在目标背后，就在"出发"的地方，就在被我们忽略的地方，如同一个淘气的孩子，藏在门背后，咧着嘴笑那个自以为找到了目标的傻瓜。那一刻，我对文字有了一种新的理解。也是在那个过程中，我重新理解了一个词"知道"。只有当你"知"了那个"道"，才是真正的"知道"。我们口口声声说"知道知道"，其实什么都不知道。

　　一个东西，当它看上去非常有力量时，恰恰说明它没有力量。对于圣雄甘地来说，当时的英帝国是有力量的，但是最终，胜利者是圣雄。在我看来，主张非暴力的甘地是有力量的。我一直认为，文字存在着教科书三种功能之外的第四种功能。为欲望写作的人肯定不懂得生命的意义是什么，不懂得读者内在的需求是什么，不懂得生命最需要的那眼泉水是什么。欲望肯定不是人的天然渴求。就像一个孩子，在外面玩了一天，很尽兴，但是天黑下来了，一个问题横在眼前。是什么呢？回家啊。这才是最根本的。但是天已经黑得伸手不见五指了。这时，道路是需要的，月光是需要的，包括星光，包括母亲唤归的声音。

303

我固执地认为人的成长是一个不断被污染的过程，只不过有些人能够通过污染超越污染，有些人则不能。而写作应该是一个反污染的过程，接近生命本意的过程。中国有一个词叫"天性"。它是和人性对应的一个词。这些年，人们过于强调了人性，却忽略了天性。而我觉得，作家的使命可能就是传达、传承这个"天性"。只要我们回头去看看那些流传下来的文字，那些像火种一样流传下来的文字，能够让人百读不厌的文字，我们就知道什么叫生命力。目前，我还没有看到哪部当代文学作品是因为人们出于喜悦，出于对生命本质的渴求而读一百遍的（至少对我是这样），但是确有一些文字，是我们愿意每天都诵读的，而且每读一次都有大欢喜，都有新收获。这些文字肯定是传承"天性"的文字，而不是现代人所谓的"人性"的。

　　几近不惑之年，才悟透一个道理：一个人只有具足了人格，才能有资格以作家的名义去播下心灵的种子，美的种子。非常喜欢一个词"人味儿"。但是看看当下许多文学作品里的人物，有多少是有"人味儿"的？包括我自己的。

　　好长时间以来，我都处在一种零创作状态，这除了自己在写作上一贯的散淡随缘心态外，更重要的是有一个问题突然出现了：我发现我这么多年写下的文字大多是河伯之叹，没有几篇不是盲人摸象、指鹿为马。我开始琢磨一个词"整体"，这也许是我此生要解决的最大也是最难的一个问题了。窃以为只有当一个人找到了"整体"，他的笔下才会没有分别，才会无漏，他的文字所到之处，才会随处结祥云。因为它是理解的基础，沟通的基础，也是心灵的基础。"问渠那得清如许，为有源头活水来"，对于心灵，它既是目的又是源头。只有这样你才能够遵从"整体"的逻辑，才能从"个人"逻辑中跳出来。因为"个人"在更多的时候则意味着自私，意味着有求。可以肯定，一个人当他以一种有求心去写作时，他已经背弃了写作的原意。这就需要设法找到一个可靠的路径，而要通过分别寻找无分别，通过局部寻找整体，本身就是一件盲人摸象的差事，但是我们又别无选择。所以，我写作是因为我尚未知道。那就在写作的行脚中、叩门声中等待启示的降临吧。

在尘境中寻找真境

先报告身份：我和文字都是行者。我是大行者，随我而行的文字是小行者。因为辛劳，小行者一次又一次地问我，你要把我带到哪里去？我说，寻找真境。小行者问，为什么要寻找真境？我说，真境里有真实的快乐。

一天，当我带着小行者经过一个荷塘时，听到一阵笑声。驻足一看，发现一塘的莲都在笑我，我好一阵羞愧，原来真境就在尘境里。之所以走了这么长的冤枉路，是因为我们的眼睛是被障着的。真境和尘境之间，其实就隔着一层尘。它有意障住你的视线，逗你玩儿。

如同小时候蒙着眼睛丢手绢儿。如果我们把睁着眼睛看作真境，那么蒙着眼睛跑圈儿就是尘境。如此说来，尘境比真境好玩？不好说。但可以肯定的是：借助于蒙着，我们体会到了揭开的快乐；借助于揭开，我们体会到了蒙着的快乐。为此，我们睡着又醒来，醒来又睡着，乐此不疲。

在睡和醒之间，哪个是真境，哪个又是尘境呢？这是一道难题。当我们的眼睛被蒙上的那一刻，那个手绢又丢向哪里呢？又是一道难题。还有蒙我们眼睛的那个人，他是谁？他是什么时候到我们身后的？我们怎么就没有察觉呢？他是什么模样儿？还是一道难题。

孩子们不管这些，他们玩完丢手绢，又开始玩捉迷藏。借助于"藏"，他们体会"捉"的快乐；借助于"捉"，他们体会"藏"的快乐。那么，在"捉"和"藏"之间，哪个是尘境，哪个是真境呢？还是不好说。但有一点是肯定的，那就是当肚子饿了时，"捉"和"藏"都不能解决问题，他们这才想到妈妈。

而一些孩子因为玩兴大发，走得太远，等他们意识到天黑下来，已经找不到回家的路。怎么办呢？哭是没有用处的。有经验的孩子会静下来，倾听母亲唤归的声音，然后循声回家；如果听不到声音，那再静心观望哪个方向有灯火摇曳，然后跟着灯火回家。相对于这个"黑"，唤归和灯火成了真境。没有"黑"我们无法看到灯火，没有"黑"我们也无法听到母亲唤归的声音；相反，没有灯火我们也看不到"黑"，没有母亲唤归的声音我们也听不到"黑"。

这时，灯火成为一种道路，唤归成为一种道路。对于走失的孩子，跟着灯火和唤归回家，成为最大的德行。

在"道路"上"德行"，世界上最美的意境就这样发生了。此刻的意境，已不是意境，而是一种道德。什么是真文学，什么是伪文学，什么是善的文字，什么是非善的文字，似乎也有了答案。如此，我们便明白如何才能为读者找到"真实"的快乐。

小行者又问，"真实"的快乐是什么？我说不知道，但我们可以用反证法寻找答案。子曰："朝闻道，夕死可矣。"可见这个"道"高于生命，或者说比生命还贵重。由此可知，"真实"的快乐应该在"道"中。那么"道"是什么？还用反证法。释迦当年放着国王不做，而要去做一个苦行僧。按照常识，说明还有一个比权力、比财富、比美色更能给他带来快乐的东西。这是一种什么东西呢？无疑还是这个"道"。那么"道"在哪里呢？

夫子暮年，给他的高徒曾参说了一句带有总秘诀性质的话："吾道一以贯之。"可见这个"道"和"一"有关联，差不多能够等量代换。

那么什么是"一"呢？曾参给他的师兄弟的回答是"夫子之道，忠恕而已矣"。

那么，什么是"忠恕"呢？夫子一生演说的，就是这两个字。依浅见，这个"忠"就是不左不右的心，没有偏移的心，没有污染的心，没有遮蔽的心，没有走失的心，纯粹的心，故乡的心，原始的心，"人之初，性本善"的那个心。"忠"要让我们认识这个"心"，"恕"则是在我们认识这个"心"之后行动的总原则。按照最初的那个"心"的本质、本意、指令去做事，就是"恕"。勉强说，就是按照"本善"去做事；

勉强说，就是按照天意去做事。唯此，才能吉祥，才能如意。

显然，在认识这个"忠"之前，我们无法做到真正的"恕"。因此，要想真正做到"随心所欲而不逾矩"，我们就得睁开眼睛，否则所做的一切，都是盲人摸象，都在"恕"之外。

可见"善"是"真"的途径，也是"美"的途径。自然，人生最大的快乐就在对"忠"的认识里，然后按此认识去"恕"，去行动。

认识这个"忠"，相当于我们在沉沉长夜燃得一灯，只有掌灯行动我们才不会走错路、不会碰壁，当然快乐。由此看来，认识"忠"成为问题的关键。

夫子讲得更多的是"恕"，释迦讲得更多的是"忠"。真是幸运，我们既有一盏"恕"的种灯，又有一盏"忠"的种灯，这个长长的灯的链条才得以延续，才不至于"万古如长夜"。

小行者说，知道了，道即真境，道路即意境。

我说，好啊，可是，你真"知道"了吗？

文学的祝福性

在北欧访问的时候，有一位学者问我，为什么你的文字总是那么安详温暖，是否有意规避现实？我告诉他，恰恰相反，那正是中国真正的现实，如果把中华民族看成一棵参天大树，它的根部正是安详温暖，否则，就无法保持五千多年的生命力。我的文字只是向此靠近，远没有表达出她真正的魅力。他又问，那又如何理解文学的批判功能？我说，在我理解，文学除了教科书上讲的认识、教育、审美、娱乐、批判等功能外，应该还有一个更加重要的功能，那就是祝福功能。近些年，我收集到了许多事例，证明了这一点。

我们村上有两位小伙，一同闯世界，一位因犯罪被判八年，另一位却因为偶然读到两本书，走上改过自新的道路，2010年还被评为孝亲模范。当那位被判八年的小伙子从狱中出来，这位因两本书而脱胎换骨的青年，孩子已经六岁了。这是多么让人悲伤的画面。几年来，我坚持和这位服刑的小伙子通信，发现他十分单纯，只是喜欢模仿一些书上的情节。读着他的来信，我想，写这些书的作家是否想过，他们的文字可能会把一个孩子送进牢狱？

　　人的心灵是一片田野，任何进入眼睛的信息都会成为一粒种子，这些种子构成人的潜意识，而人的行动是由潜意识支配的。古人甚至认为，潜意识具有异地成熟性，我们今天读到的一句话，可能在很多年之后开花结果。如果一个人在关键时候脑海中闪过"执子之手，与子偕老"，他对婚姻可能是一种态度；如果闪过"不在乎天长地久，只在乎曾经拥有"，可能就是另一种态度。我也看到一些报道，某电视剧播出后，有不少小孩模仿电视剧剧情上吊，差点闹出人命。据报道，现在自杀人数已经远远超过交通事故的死亡人数。如此惊人的数字，除了全民焦虑的大背景之外，恐怕和传媒有很大的关系，而这些传媒的底本，却是文学。

　　曾有这样的体会：看到别人有好事，心生嫉妒时，赶快起诵《太上感应篇》中的"见人之得，如己之得"，就释然；送别人一件东西，不久又后悔了，赶快起诵《太上感应篇》中的"与人不追悔"，就释然；帮了别人一个忙，却未得到对方的感谢，心里不快，赶快起诵《太上感应篇》中的"施恩不图报"，就释然；想起曾经伤害过自己的人，心里不免会有怨恨，赶快起诵《弟子规》中的"恩欲报，怨欲忘；报怨短，报恩长"，就释然。可见文字对人有解脱作用。

　　祝福功能必定来自于祝福性。在第二十二届图书博览会上，有位出版家说，他认为书没有好坏标准。我说书绝对有

311

好坏标准。一个孩子走丢了，有责任感的人应该把他带回家，但也有人在干着拐卖的事。如果我们承认在带回家和拐卖之间有价值差别，我们就要承认书是有好坏标准的，因为有些书是把读者带回家的，有些书是把读者带离家园，甚至拐卖的。一本书让人读完，就有孝敬的冲动、尊师的冲动、节约的冲动、环保的冲动、感恩的冲动、爱的冲动，无疑是本好书。相反，自然是坏书。

也有人说，文学毕竟是文学，不是教育学，没必要让它承担教化义务。在我看来，这无异于说，菜不是主食，没必要讲究卫生一样。因为无论是主食还是菜，我们都在吃。

我以为，要想保证文学的祝福性，写作动机和出版动机显得非常关键。就像为了孩子成长，有些父母可能打孩子、骂孩子，但他们的出发点都是为了孩子好；有些父母尽管甜言蜜语，却可能会把孩子带向歧途。所以说，一本书有没有祝福性，关键要看作家和出版社的动机。如果我们在下笔时，在出版时，心中没有读者，只有利润，祝福性是很难保证的。

那么，我们应该带着怎样的动机写作？依我浅见，"父母心肠"是一个底线。带着"父母心肠"写作，带着"父母心肠"出版，应该是作家和出版社最基本的品质。

在拙著《农历》的创作谈中，我写了这么一段话："奢望着能够写这么一本书，它既是天下父母推荐给孩子看的书，又是天下孩子推荐给父母看的书，它既能给大地带来安详，又能给读者带来吉祥，进入眼帘它是花朵，进入心灵它是根，我不敢说《农历》就是这样一本书，但我按照这个目标努力了。"为了尽可能接近这个标准，我反复修改书稿。书稿排版后，我仍然让出版社寄来校样修改，同时复印多份，让同事、朋友包括妻儿看，对于他们提出的建议，我基本都做了修正，一次又一次，直到第六次时，编辑说他做了几十年编辑，出了几百本书，没有见过像我这样追求完美的，他实在没有耐心再给我寄了，我才作罢，否则大概还要修改第七次、第八次……《寻找安详》等书也是同样。这些拙著出版后有不少读者批量义捐，让我更加坚信，心灵感应是存在的。

当然，也有即使拥有"父母心肠"也难下手的时候，这时，找到一个基本原则就显得特别关键。在我看来，能给读者提供正能量，是祝福的下线；能够打开读者本有的光明，是祝福的中线；能够把读者带进根本快乐，是祝福的上线。

而要"唤醒"他人，唤者要首先"醒来"。同样，要想保证文字的祝福性，作者自己首先要拥有祝福力，最起码要把生活方式变成祝福方式。只有把生活方式变成祝福方式，才能让我们的想象力成为有根之木、有源之水，也才能真正保证我们的真诚心和敬畏心。一个人如果没有登到山顶，肯定是无法描述真正登到山顶的体会的。因此，要写一本让读者"一览众山小"的书，作者就必须先登到山顶。现代社会之所以有那么多伪幸福学的书，就是因为作者自己都没有找到幸福，却在大谈幸福，当然不能解决读者的心灵疾患。阅读也同样，一个没有登到山顶的人，也是无法理解"一览众山小"的境界的。也许有人会说，作家不可能把所有生活都体验到，这是事实，但生活虽然不同，爱的成熟度却可以类比。就像有人登到泰山之顶，有人登到华山之顶一样，最关键的是，我们都要登到山顶。见过大孝子王希海父亲的人都惊讶，一位卧床二十多年的植物人，身上居然没有疮痕，原来二十多年来，王希海都是把手放在父亲身下睡觉，当他感觉手掌被压麻了时，就给父亲翻身。如果没有亲眼看到，只凭想象，是很难写出这种孝敬方式的。

要想保证文字的祝福性，写什么比怎么写更重要。大米再复杂地做，也是大米；沙石再精心地做，也是沙石。

要想提高文字的祝福性，方向比细节更重要。高速列车走错了路，显然要比牛车走错了路麻烦大得多。

要想提高文字的祝福性，安全性比精彩性更重要。原子弹投向人群显然要比石子投向人群更可怕。

314 一部作品能给读者带来祝福，发行量越大越好。否则，发行量越大危害越大。

好散文当是生命必需品

好散文当是生命必需品。当散文像食物一样成为人们每天不可缺少的精神必需品时，自会繁荣。身体没有食物提供营养会垮掉，灵魂没有"食物"作营养也会垮掉。身体需要食物作保障，灵魂同样需要。明白这个道理之后，我开始实验，近半年来，获益很大。每当诵读状态好时，全身舒坦，口有清香，舌下有甜甜的津液产生，如品佳茗。需要说明的是，这样的美好感觉只有诵读才能得到，就是说，对于选定的经典，先不要理解它的意思，只是把字音读准，文句读顺，在直觉状态读即可。如果读进去，会有不忍释卷之感，总想待在那种纯粹的读的美妙状态之中。如果某一天没有诵读，这一天都会觉得没有精神。它还有一个好处，就是提醒我们如何度过一天，经典成了我们一天生活的线路图，依此行事，可以免去许多错误。晚上再读，对照检查今天是否有做错的事。如此天长日久，我们会发现，灵魂比以前干净了一些。

好散文当需"无菌作业"。去年以来，我基本停止了传统意义上的写作，但我每天在写反省日记，越写越喜悦。因

315

为我想，当我自己还很假时，大概写不出真正真的文字，而一种文字如果不真，是不可能真正打动读者的。比如某一天，因为我没有带水杯，服务员用一次性杯子给我倒了水，就浪费了一个一次性杯子。晚上，我就要在反省日记上做检讨。也许大家会说，郭文斌你太作秀了吧，浪费一个一次性杯子有什么要紧的。但在我看来，节约整个地球的资源和节约一个一次性杯子，虽在事上有大小，但在心上没有大小，因为都是一个节约的心。有许多错误，正是在不间断的反省日记写作中改掉的。比如吃零食的毛病，天天检讨却天天犯，但时间久了，就觉得这样天天检讨实在不好意思了，第二天，就下决心把它改掉。再比如上班期间，当我有一天终于做到了公事用公家电话，私事用个人电话时，觉得生命有了一个重大超越，晚上在反省日记上写下这件事时，觉得很光荣很喜悦。这样的文字，我不知道是不是散文，但是我觉得很真。

好散文当有改造力。近年来，我收集到了大量正能量的文字、改变读者命运的案例。比如，我们村上的两位青年，其中一位因为犯罪被判了八年，另一位却因为读到两本好书走上改过自新的道路。这个故事，我写在《文学的祝福性》一文中。去年，一位朋友的孩子出了问题，很严重，严重到她都准备辞职专门在家看护孩子。就在她快要绝望的时候，有人告诉她试着读一些正能量的经典，向孩子表达祝福，她就试着去做，不想奇迹出现了，孩子真的渐渐好转起来，居然以高出他们省录取分数线七十多分的成绩考到一所重点大学。这件事给我的震动很大，它让我想到，古人所讲的祝福不单单是一种形式。后来看"霍金斯能量等级表"，才知人的生命观本身就是能量。能量等级表的下限是 20，上限是 1000，分水岭是 200。分水岭之上产生的情绪对世界有积极影响，之下产生的情绪对世界有消极影响。而研究发现，绝大多数流行文化对应的能量在 200 之下。那么，在浩如烟海的文学作品中，能量级在 200 以上的又有多少呢？因此，我们要让散文真正繁荣起来，散文本身重要，但作者的价值观可能更重要。因为一个能量级在 300 的人，相当于九万个在 200 之下的人。因此，我们的崇高感提高一分，慈悲感提高一分，喜悦感提高一分，也许会多赢得成千上万的读者。

雷锋精神脱胎于传统文化

朋友问我，雷锋精神和传统文化是什么关系？我说，雷锋精神脱胎于传统文化。"真正的青春，只属于这些永远力争上游的人，永远忘我劳动的人，永远谦虚的人。"精进、忘我、谦虚，正是中华民族的传统美德。"在工作上，要向积极性最高的同志看齐，在生活上，要向水平最低的同志看齐。"正是《弟子规》所讲的"唯德学，唯才艺，不如人，当自砺；若衣服，若饮食，不如人，勿生戚"，等等。

雷锋是集体主义的化身，而中华传统文化的最大特点是共体意识。"天同覆，地同载"是这个文化背景的逻辑依据。"全心全意为人民服务"，事实上是传统人格追求的现代表达。"一滴水只有放进大海里才永远不会干涸，一个人只有当他把自己和集体事业融合在一起的时候才能最有力量。"传统文化告诉我们，这个世界上没有离开整体存在的个体，就像没有离开母亲存在的婴儿一样。孝道为什么成为中华民族的美德，就是因为孝道本质上是在讲整体，或者说孝道就是我们回到整体的方法论。

整体观为什么会成为传统文化的核心？因为整体是生命力、免疫力、和谐力、幸福力、快乐力，当然也就是繁衍力。

"人的生命是有限的，可是为人民服务是无限的，我要把有限的生命，投入到无限的为人民服务之中去。"这是雷锋名言。"万物都会消散，唯有道德流传"，这是先贤古语。是不是有点异曲同工？道德是什么？在我理解，就是整体规则和整体行动。

"凡是脑子里只有人民、没有自己的人，就一定能得到崇高的荣誉和威信。反之，如果脑子里只有个人、没有人民的人，他们迟早会被人民唾弃。"为什么？因为自私自利和整体规则不相应。

相对应的是生命原理，就像火和燃烧相对应，水和熄灭相对应，零下气温和冰相对应，开心和微笑相对应，焦虑和愁眉苦脸相对应，奉献和幸福相对应。

孩子问我，雷锋为什么能够做到"全心全意为人民服务"？我说，那是因为雷锋从中尝到了无比的快乐和幸福。因此，他才能"把别人的困难当成自己的困难，把同志的幸福看成自己的幸福"。

一个人的作用，对于革命事业来说，就如一架机器上的一颗螺丝钉。机器由于有许许多多的螺丝钉的连接和固定，才成了一个坚实的整体，才能够运转自如，发挥它巨大的工作能力。螺丝钉虽小，其作用是不可估计的。我愿永远做一颗螺丝钉。螺丝钉要经常保养和清洗，才不会生锈。人的思想也是这样，要经常检查，才不会出毛病。

古人为什么要孜孜不倦地追求忘我境界？因为古人明白，一个人只有达到忘我境界，"根本快乐"才能到来，安详才能到来，因为"我"是烦恼之根，一个人连烦恼的根都挖掉了，自然只剩下快乐了。换句话说，一个人连烦恼的皮都消灭了，当然也就把附在它上面的毛消灭了。

因此，利他从本质上来讲，还是利我。由此可知，利他才是真正的投资学。

如果你是一滴水，你是否滋润了一寸土地？如果你是一线阳光，你是否照亮了一分黑暗？如果你是一颗粮食，你是否哺育了有用的生命？如果你是一颗最小的螺丝钉，你是否永远守在你生活的岗位上？如果你要告诉我们什么理想，你是否在日夜宣扬那最美丽的理想？你既然活着，你又是否为了未来的人类生活付出你的劳动，使世界一天天变得更美丽？我想问你，为未来带来了什么？在生活的仓库里，我们不应该只是个无穷尽的支付者。

我非常喜欢这段话，因为他告诉我们什么是本分，如何尽本分。

　　我有些不大喜欢把雷锋精神形式化，比如每年在 3 月 5 日这天，让医生到学校门口打扫卫生，让老师到医院门口打扫卫生，等等。雷锋精神的核心应该是把本职工作做到尽善尽美。想想看，当每一个人都把本职工作做到尽善尽美，不就是和谐社会了吗？当每一个螺丝钉都尽善尽美地运转，这个机器不就是和谐社会了吗？

新大禹治水

十几年前，我曾经写过一篇关于黄河的散文，名为《生命之河》，赢得了不少读者的喜爱，自己也很得意，觉得读懂了黄河，现在看来，那纯粹是一位游子的伤怀。这一刻，作为游子的我，居然把家安在了黄河边，再次读她，不知为何，浮现在眼前的，却是一位教子有方的母亲。在宁夏河套，在黄河金岸，我面前的母亲，一派从容、大方、胸有成竹，我仿佛看到，她略显沧桑的目光里，已经没有了担忧，全是自信和喜悦。

就像生养我们的母亲一样，黄河母亲对自己的孩子，也是呕心沥血、任劳任怨、不求回报、只盼成才。她从寒冷的青藏高原出发，历经千难万险，东流到海。每到一处，都留下无数的稻谷，无数的牛羊，并把她满腔的爱嘱托给这些稻谷和牛羊，让它们以同样的牺牲精神，喂养出世界上最有爱心、最有和平精神、最自强不息的人群——华夏儿女。

作为母亲，她养育了世世代代的优秀儿女，更塑造了千千万万的伟大人格。她用乳汁喂养婴孩，用特意创设的艰

323

苦情境锻造具有担当精神的英雄儿女。被孔子无比推崇的禹，就是其中的代表。

孔子在《论语·泰伯》中说："禹，吾无间然矣。菲饮食而致孝乎鬼神，恶衣服而致美乎黻冕，卑宫室而尽力乎沟洫。禹，吾无间然矣。"即："对于禹，我没有什么可以挑剔的了。他的饮食很简单，而尽力去孝敬鬼神；他平时穿的衣服很简朴，而祭祀时尽量穿得华美；他自己住的宫室很低矮，而致力于修治水利。对于禹，我确实没有什么挑剔的了。"大禹治水，三过家门而不入。禹的父亲鲧，治水用堵的办法，没有成功，被舜所杀。之后舜又起用禹来治水。禹吸取父亲失败的教训，改用疏导的方法，终于治好水患。在当时的条件下，那该是一种怎样的壮举。感于大禹的德才，舜把天下传给了他。在当时的情境下，这又是一种怎样的胸怀和胆识。通过这个故事，我们看到两个伟大的人格，一是禹，一是舜。舜用禹的父亲治水，无功杀之，接着起用其子治水，这种决策，非大公无私者，不敢选择。更加出乎人们意外的是，禹治水成功后，舜又把天下传与他。这在古今中外的历史上，恐怕没有第二例。孔子讲，禹是无可挑剔的。父亲被杀，临危受命，毫无怨恨之心；治水期间，舍小家为大家，三过家门而不入；受禅之后，作为天子，自己的生活简朴到极致，但为公为祭，却尽心竭力。这样的国王，当然无法对他挑剔了。

无疑，大禹是孔子心目中的伟大人格，而这样一位伟大的人格，正是黄河哺育的。

如果说中国历史也是一条大河，那么禹的身影一直伴随左右。

可见，黄河文化是一种养育文化，是一种成就文化，它通过黄河儿女的集体人格展示出来。

比如团结互助，没有团结互助就没有大禹治水的成功，大禹治水看上去是在治水，事实上是黄河母亲用她的生命让她的儿女们学会团结，学会互助；比如顺应自然，黄河母亲让她的儿女们通过水道认识天道，通过天道认识人道，通过人道找到安宁、和平、幸福。"与天地合其德，与日月合其明，与四时合其序，与鬼神合其吉凶"，这个"合"，在我看来，正是"河"的品质，离开河道，大利之水就成了大害，离开人道，造福社会的人就变成危害社会的人；比如全局意识，要想治水，就要胸怀天下，这种全局意识，只有在治水中才能体悟，如果没有全局观念，而是头痛医头、脚痛医脚，是无法实现根本大治的。正是这种全局意识、整体意识，造就了中华民族的"大一统"思想、团结思想，给了中华民族基本的稳定和安宁，也给了中华民族恒常的生命力；比如辩证意识，黄河母亲让她的儿女们通过土认识水，通过水认识土，关于"龙"的意象可以说是土和水最完美的拥抱姿态，这种完美，到了河洛交汇处，成为黄河儿女的基因，中华民族性格中的中和、包容、谦谨、重规律、尊道德、守伦常，包括"执其两端，用其中于民"的中庸思想，都是由其生发。黄河九曲，不离归意，树分九枝，不离根本，以此，才有生机，才有活力。这，正是"龙"图腾给我们的启示。

而勤劳勇敢、自强不息，包括仁义礼智信，积德传家，这是中华民族的核心价值。不舍昼夜，不辞辛劳，冲破千峰百嶂，奔流到海，这是勤劳勇敢、自强不息；哺育万物，承载货运，无怨无悔，这是仁义；依岸而行，就低而流，不离河道，这是礼；千回百转，不忘初心，终归大海，这是智；冬封春融，不误农时，提供灌溉，这是信。

特别是她永不断流的气概，对应在人伦上就是强烈的传家意识。当人一旦有了传家意识，就会珍爱生命，追求人格，就会把立功立言立德作为人的第一追求，自然就会克制欲望，建功立业，尽忠行孝，友悌爱人，以光宗耀祖，激励后人。这正是中华民族屹立于世界民族之林的深层动因。

审视当下社会，我们会发现，和大禹时代有着惊人的相似性，虽然大地上没有水患，但是人们的心里巨浪滔天，表现在生活中，就是反道德反伦理反人类反社会的心理和言行频发，这种巨浪，在一定意义上比洪水猛兽还要可怕。好在新时代的大禹已经出发，其治水方略是堵疏结合，以疏为主，堵是强力反腐反浮反贪反奢，疏是让中华民族优秀传统文化和社会主义核心价值观进行科学对接，重新疏通中华民族五千年的心灵河道，事实证明，它已初见成效。

百川东流，因为大海在东方，那是它们的安身安心处。而让人们回到安身安心处，中华民族有一条永不过时的大运河，她的名字叫母亲。

让我们共同祝福，共同期待，新的大治时代到来，也让我们共同祝福，天下母亲，包括黄河母亲，健康长寿。

真快乐零成本

打开报纸、网站、电视，重要位置多被天灾人祸占据着，触目惊心。而这些天灾人祸又以惊人的速度更新着，人们甚至来不及记住标题。就连天灾人祸都是如此匆忙，如此席不暇暖。为什么？在我看来，天灾是因为自然失去了安详，人祸是因为人心失去了安详。为此，2006 年我提出了"安详生活"的理念，并尝试着进行了一些实践。受人们欢迎的程度大大出乎我的意料，在安详的影响下，不少问题学生得以改变，不少问题家庭得以改变，不少心灵疾患得以痊愈。讲稿《寻找安详》也被一位受益者推荐给中华书局出版，并且成为畅销书。

安详之所以受到大家欢迎，大概是因为它正好应对了现代人最大的痛苦。现代人最大的痛苦是什么？在我看来，一是无家可归，二是找不到回家的路。想想看，当你漂泊一生，晚年回到老家，却发现那个家已经不在了，那是一种什么感觉；想想看，当你身处迷宫，却总是找不到出路，那是一种什么感觉；想想看，当你身陷沙漠，不辨东西与南北，又是一种什么感觉。

食品危机，健康危机，感情危机，安全危机，教育危机，文化危机，环境危机，等等，说穿了都是"归属危机"。因为找不到一条回家的路，人们从未有过地慌乱和空虚。为了填充这种慌乱和空虚，只有以加倍的速度来掩饰，只有以拼命的忙碌来掩饰，只有以财富的积累来掩饰，好抓着速度、忙碌和财富让生命暂时逃避空虚和慌乱。

在此我想真诚地告诉大家的是，回到快乐老家是可能的，回到全然的喜悦是可能的，是和现代社会不矛盾的，只要我们找到那把钥匙，因为它在许多人身上发生了。我的体验是，快乐不在别处，快乐就在我们身上，快乐就是我们自己。生存的成本之所以加大，就是因为人们寻找快乐的成本加大，就是因为人们修筑寻找快乐道路的成本加大，就是因为人们修造寻找快乐车船的成本加大。当一个人能在"这里""这一刻""这一个""这一口""这一步""这一声"中找到最大的快乐，那么他就不会耗费大量的"燃油"千辛万苦地到远方去寻觅。我们自己本身就是快乐的矿藏、幸福的矿藏、财富的矿藏，但是我们却要舍近求远。这个"灯下黑"真是天下再大不过的冤枉。因为这个弥天大冤，一些人可能直到终年，也不知道快乐是什么，也不知道如何回到我们"本身"，回到快乐之源。埋藏在本体的这一份最为宝贵的矿藏就永远沉睡，天下难道还有比这更遗憾的事情吗？

安详不是别的，安详正是快乐的方法论。它让我们从伪快乐回到真实快乐，从寻找快乐回到在现场打开快乐，直接享受快乐；坦然地活着，健康地活着，唯美地活着；喜悦着，快乐着，幸福着，满足着，同时又是最高质量地活着。

快乐是生命的意义，是生命无上的尊严，也是生命最大的动力。如果一个人从孝敬中体会不到快乐，那么孝敬就无法走远；如果一个人从尊师中体会不到快乐，那么尊师重道就会成为一纸空文；如果一个人从奉献中体会不到快乐，那么奉献就会成为一种作秀；如果一个官员从廉洁中体会不到快乐，那么反腐倡廉就会成为一个难题。

我孝敬是因为我快乐，我尊师是因为我快乐，我学习是因为我快乐，我环保是因为我快乐，我奉献是因为我快乐，我安详是因为我快乐，同样，我诵读是因为我快乐。这既是生命的意义所在，也是道德的意义所在。否则，道德就有可能是虚伪和欺骗，学问就有可能是虚伪和欺骗，生命就有可能是虚伪和欺骗。

安详本身就是喜悦。就像月光，无论照在谁家的屋顶上，它的清辉都是皎洁的；就像清泉，你用什么勺子舀出来，用什么杯子去喝，它的味道都是一样的，都是甘醇的。

请问，除过喜悦，我们还要实现什么？

我们追求财富，不就是追求财富带来的喜悦吗？

我们追求爱情，不就是追求爱情带来的喜悦吗？

我们追求荣誉，不就是追求荣誉带来的喜悦吗？

可是，如果我们在当下就能让喜悦充满，我们为什么还要舍近求远？

如果我们和安详错过，就是和喜悦错过，和时间错过，最终和生命错过。生命就成了一个大大的亏损。不管我们绘制多么宏伟的蓝图，从事多么伟大的事业，如果属于喜悦的账面上有出无进，那么我们肯定在和生命错过。

有些现代人觉得离幸福越来越远，却不知从欲望中寻找幸福犹如缘木求鱼，用物质解决心灵疾患犹如拿油灭火。刺激欲望不但不会解决我们的心灵饥渴，反而会火上浇油，只有水一般纯净的安详才能真正浇灭燃烧在人们心头的火焰。

一列车，如果方向正确，速度越快越好；假如相反，越快越糟糕。细节决定成败，方向更加决定成败。生命的绚烂和精彩，快乐和幸福，固然来自细节，更来自一个正确的方向。对于生命来说，安详既是目的，又是方向。

如果一个人向外寻找幸福，那么生生世世也找不到幸福。现代人犯的一个最大的错误是，本身开着幸福的车子却满世界寻找幸福，最后把车子都开爆了，也找不到幸福。当一个人内心存有安详，仅仅从一餐一饮、半丝半缕中，就可以感受到世界上最大的幸福。否则，即使他拥有世界，也可能和幸福无缘。因此，安详既能给富人提供心灵着陆，又能给穷人提供心灵温暖。中华民族的传统是向"内"寻找幸福，因为幸福就是我们"本身"，只是我们现在已经习惯了向"外"看，那束天生的打量幸福的目光已经永久睡眠。正因为这种向"内"寻找幸福的文化，造就了中华民族五千多年的辉煌和灿烂。

安详是一条离家最近的路，又是家本身；安详是全然的喜悦，无条件的快乐；安详既是生命的方向，也是生命的目的。

让我们一同在安详中获得生命的尊严和幸福。

后 记

去年，应山东教育出版社邀请，到社里讲课，顺便参观了展陈室，很为他们的文化情怀感动，书架上品质上乘的《张炜文存》《秋雨合集》，还有许多工程性出版成果，让我眼前一亮，无论是设计，还是装帧，还是用纸，在国内都堪称一流，心想，如果自己的作品能够忝列其中，该是多么幸运的一件事情。没想到，半年之后，我的精选集出版事宜就摆上他们的议事日程。

接到社里的美意之后，心想，如何让这套精选集在中华书局版的基础上更进一步。在电脑上翻检，没有可补入的长篇，短篇也不多，诗就更少，倒是有不少对话和述评，特别是对话，一读，居然把自己给吸引住了。加之这些年研读经典，发现中国文化史，一定意义上，就是一部对话史，遂萌生了编一本对话集的想法，编定之后，很是满意，相信读者一定会喜欢。

第二本是《祝福》，主要是近些年我对央视大型纪录片《记住乡愁》的亲历性记录，还有一部分是重要时空节点的回应文章。

加上在中华书局出版的精选集基础上修订的书稿，一共八卷。

在把山东教育出版社设计的精选集封面发给同事闻玉霞看时，她说，如果再有一本《郭文斌研究》就好了。和单行本不同，精选集的发行，以研究和馆藏为主要方向。而为研究者提供方便，应该是其重要功能之一，如果能把评论家的声音汇集成书，配套发行，也是功德一桩。还有，不同于其他作家，郭文斌同志本身就是在争鸣声中走过来的，不少评论文章看起来，比作品本身都吸引人，有这么一本书，也会促进精选集的发行。

这真是一个好建议，可是，由谁来主编呢。我说。

她说，还是请李建军先生。她是说，2008 年，李建军先生为我主编了《郭文斌论》。

我说，这次再也不能劳烦李老师了，就你来吧。

她大概没有想到，担子居然落在她的肩上。为了减轻她的劳动量，我请这些年一直研究我的作品的江西师范大学王磊光博士协助她。

经过他们二人的努力，一部五十万字左右的书稿出现在我面前，让我好生感动。原来，有这么多的师友研究过我的作品，我居然都不知道。原来，有这么多的刊物在默默推举我，我居然都不知道。急切地走进这些文字，就像走进另一个世界，让人感叹"知"和"遇"的不可思议，茫茫人海，为什么就偏偏是他们，对你的文字发生兴趣。

高山流水，不过如此。

本来还有几部拟收入的书稿，但最后还是决定放弃了。我对出书比较苛刻，如果文字的精确度、节奏感、旋律感没有达到要求，就不愿意出版。还有，这次编选，和五年前给中华书局编选七卷本相比，精力明显不同，最后决定量力而行。加之，不少读者等着用书，让我无法慢条斯理。

读者诸君也许不会想到，和山东教育出版社的美丽缘分，缔结于二十多年前的一次演讲。那时，我的第一本书《空信封》上市，我带着它到宁夏彭阳县第二中学演讲，会场里，有一位叫张虎的同学，大学毕业后，居然到山东教育出版社工作。近年，不知他怎么找到我的电话，不舍不弃地联系。感动于他的诚意，我们约定在2019年西安书市见面。当他和副总编辑范增民先生出现在我面前时，一种没有来由的亲切感扑面而来。接下来，就有了后半年到社里讲课，就有了和总编辑孟旭虹女士的畅叙，就有了许多合作构想。

想想看，一套文集的出版缘分，居然在二十多年前就开始了，这是多么让人感动的一件事情。在社里讲课时，当张虎先生拿出那本黑皮绿叶的《空信封》时，一种来自岁月深处的感慨让我有种把什么交给他的冲动。不久，九卷拙著，一套光盘，就交给他了。接下来，我们就开始了热线期。

先是设计，我没想到，设计师王承利，他对文字的理解，对美的理解，可以知音相称，还有这个团队的效率，也是我合作过的出版社中最优秀的。在此，向所有为这套文集面世付出心血的朋友们，致以崇高的敬意。

2020 年 7 月 19 日